REMERCIEMENTS

Je tiens à remercier mon ami et patient correcteur Laurent Detillieux, mes lecteurs Sarah Diane Pomerleau, Manon Verrette et Jean Lalonde, et pour ses précieux conseils, mon amie auteure Lise Aubut.
Je remercie spécialement Nataraj, mon compagnon, pour son support d'âme et de cœur pendant les deux années qu'a nécessité la rédaction de cet ouvrage.

À votre âme et à votre cœur.

CES VOIX QUI ME PARLENT

AUTRES OUVRAGES DU MÊME AUTEUR

S'autoguérir, c'est possible (Québec/Amérique, 1986)

L'Antigymnastique, une nouvelle approche du corps
(Québec/Amérique,1990)

Photo de la page couverture : Jean-François Gratton
Graphisme : Maheu Arbour Design

MARIE LISE LABONTÉ

CES VOIX QUI ME PARLENT

Les éditions
Shanti

LES ÉDITIONS SHANTI
C.P. 6, Knowlton (Québec) J0E 1V0

Dépôt légal — Bibliothèque Nationale du Québec 1993
Dépôt légal — Bibliothèque Nationale du Canada 1993
Dépôt légal — Bibliothèque Nationale de Paris 1993
Dépôt légal — Library of Congress, Washington, DC, 1993

ISBN : 2-9803458-0-6

INTRODUCTION

Nous avons tous, en nous, des voix qui nous parlent et nous guident. Il est plus aisé, pour certaines personnes qui ont développé leur faculté de réceptivité (l'hémisphère droit du cerveau), d'établir le contact avec leurs voix intérieures. Tel est mon cas. Tous les êtres incarnés sur cette planète ont aussi en eux une énergie cosmique universelle et spirituelle, appelée dans le langage sanskrit la kundalini. Voici comment un auteur la décrit :

«Kundalini signifie «enroulé» (comme un serpent). Le terme représente une forme de bioénergie subtile dont on postule l'existence et qui résiderait à l'état latent, comme un serpent endormi, à la base de la colonne vertébrale. Dans certaines circonstances cependant, cette énergie peut être activée. On dit alors qu'elle voyage à travers la colonne vertébrale (par un canal spécial). L'énergie qu'elle (la kundalini) libère a la capacité de catapulter l'individu dans des états de conscience plus élevés... Ce flot énergétique transforme, dit-on, le système nerveux et le cerveau et leur permet d'opérer à un niveau différent, plus élevé... Ainsi les théoriciens de la kundalini (qui d'ordinaire ont connu eux-mêmes un puissant éveil kundalini) soutiennent que l'activation de cette énergie est responsable du génie, de capacités psychiques variées et, en fin de compte, des différentes expériences mystiques et religieuses qui ont été rapportées à travers les âges.»[1]

Quant à moi, j'ai vécu l'éveil de la kundalini depuis plusieurs années, ce qui a entraîné un développement accru de mes capacités psychiques, dont la médiumnité. Ainsi, le processus de développement médiumnique que je vis n'est qu'une partie de l'expression de cet éveil en moi et non une fin en elle-même.

Que le lecteur sache que ce livre n'est pas un ouvrage sur la médiumnité, mais le récit d'une tranche de vie durant laquelle j'ai été guidée par mes voix intérieures dans une poussée d'évolution spirituelle qui a transformé mon existence de façon radicale en me guidant vers l'Essentiel...

Déjà dans une première publication, *S'autoguérir c'est possible*[2], j'ai raconté comment, cherchant à me guérir d'une maladie que la médecine tient pour incurable, ma vie a été transformée; et comment, par la découverte de l'amour de moi-même, j'ai réussi à m'autoguérir. Le cheminement s'est poursuivi, et un jour j'ai reçu «l'appel». Cet appel s'est manifesté par le développement spontané de la kundalini et de mes capacités psychiques.

Je ressens le besoin de partager ce vécu, entre autres pour m'aider à le comprendre encore plus moi-même, et aussi pour oser dire que cela existe. Il est de plus en plus

---

[1] En route vers oméga, Kenneth Ring, Coll. : les Énigmes de l'univers, Ed. Robert Laffont p.280.

[2] S'autoguérir c'est possible, Éditions Québec/Amérique, 1986.

possible que d'autres comme moi vivent un tel processus, car beaucoup d'entre nous sont à vivre une poussée d'évolution spirituelle sur notre planète, poussée qui nous entraîne à dépasser notre vie personnelle, c'est-à-dire la vie centrée sur le petit «moi» et la personnalité, pour accéder à une vie transpersonnelle ouverte au service de l'humanité. Ce dépassement implique l'amour de soi-même et des autres.

Ce livre m'a été «dicté», non pas dans les détails mais dans le récit des faits; ainsi, on m'a demandé de raconter certains événements que je voulais taire, et on m'a suggéré d'omettre d'autres incidents que je relatais. Il n'a pas été facile de trouver les mots pour dire, décrire et raconter certaines expériences et dialogues avec ces voix qui me parlent.

Ce livre ne donne pas de recette miracle, n'indique pas de «voie» à suivre, ni ne préconise de courant de pensée auquel adhérer. Ce livre est simplement le récit d'une expérience de vie et, pour intégrer certains passages de *Ces voix qui me parlent* le lecteur devra s'ouvrir à une perception plus élargie de la réalité, transcender les modèles établis de pensée, ouvrir non seulement son cœur mais aussi sa conscience. Le nom de Dieu revient souvent dans cet ouvrage; ne Le restreignez pas à un concept, associé à un système de croyances religieuses, mais comprenez-Le comme signifiant une expression élargie de la Source universelle de toute vie.

Je souhaite que ce livre vous aide à découvrir ou reconnaître qu'il existe des voix intérieures et extérieures, présentes dans vos vies, et dont la raison d'être est de vous guider vers votre essence, de vous rapprocher de votre source éternelle de vie; qu'il existe aussi en vous une force spirituelle qui ne demande qu'à être éveillée et que votre vie peut enfin être guidée par l'essentiel qu'est l'Amour.

C'est avec tout cet Amour que je vous accompagne dans votre lecture.

Marie Lise Labonté
La Catalina, Cabrera, janvier 1993.

Je suis couchée dans mon lit, je n'arrive pas à trouver le sommeil, je viens de me quereller pour la nième fois avec mon conjoint. Des sentiments contradictoires m'habitent, je me sens confuse, je me sens en colère, je me sens triste. J'ai l'impression de gâcher ma vie, de dépenser une énergie incroyable à maintenir une relation affective qui ne m'apporte rien, sinon nourrir mes sentiments d'autodestruction. Je suis triste de constater que je me sens incapable de mettre fin à ce massacre, à cette destruction. Je me sens prisonnière de cette relation, ne pouvant échapper à une destruction de moi-même. Suis-je bien celle qui a réussi à s'autoguérir?

Mue par une force, je sors de mon lit, je m'habille et je me retrouve dehors. Il est 23 h 30 et il fait tempête de pluie et de vent. Qu'est-ce que je fais dehors par un temps pareil? Je ne peux pas vraiment répondre à cette question sauf que je constate que je me sens mieux dehors. La pluie qui me fouette le visage achève de me réveiller. Je marche comme un robot rue Sainte-Catherine, je prie intérieurement : Dieu, aidez-moi! aidez-moi à me sortir de ce marasme affectif! Je ne me reconnais plus j'ai l'impression de n'être que colère, douleur affective; j'ai mal à l'âme. La marche dans la tempête semble encourager une forme de lucidité. La confusion s'estompe petit à petit. Les yeux fixés sur le trottoir, je revois ma vie depuis quelques années... je suis à répéter un modèle d'autodestruction dans cette relation, semblable à celui qui m'a déjà habité et qui entraîna l'arthrite. Ne suis-je pas fatiguée de m'autodétruire? Je me pose cette question avec douceur. Je suis surprise de ne pas me juger. Au contraire, je ressens beaucoup d'amour pour moi-même; je comprends: je suis à m'exorciser de cette autodestruction, et je sais que je vais m'en sortir, mais quand? Je ne le sais pas encore. Cette émotion d'amour me sécurise, je n'ai pas perdu l'amour de moi-même...

La rue Sainte-Catherine est en pleine activité malgré la pluie. Je salue les robineux de mon quartier qui boivent debout, collés sur la vitrine de la Maison de la Presse Internationale. J'entre dans ce magasin pour trouver refuge auprès des livres, mes amis de toujours. Je m'installe devant le rayon santé/psychologie à la recherche de mon livre *S'autoguérir, c'est possible*. Je sens le besoin de me relire pour me donner du courage. Tout en cherchant, mon regard est attiré par un livre qui semble perdu parmi les autres. Il est orange, épais, de couleur et de format inusités. Le titre achève de m'étonner : *Le Livre des médiums,* d'un auteur qui m'est inconnu. Je le considère longuement, puis me dirige vers la caisse pour l'acheter. Un sentiment un peu étrange, ce livre entre les mains, m'habite. J'ai l'impression que le vendeur me regarde d'un drôle d'œil. Il prend un long temps à trouver le prix. Pour changer un peu la situation je décide de lui adresser la parole.

— Avez-vous le livre *S'autoguérir, c'est possible?*

— Il ne nous en reste plus. Ça sera tout?

Il m'indique le gros livre orange.

— Oui, ça sera tout.

Assise dans le salon, j'attends patiemment l'arrivée de Claude, mon amie thérapeute. Claude est toujours en retard. Quelques minutes de plus ou de moins, cela ne changera rien à mon existence.

Cela fait deux ans que je cherche à élucider un malaise qui m'empêche de donner des conférences et qui, depuis, s'est étendu à mon quotidien. Quelques minutes de plus ou de moins... Je réfléchis aux nombreux thérapeutes que j'ai consultés et au mur d'incompréhension que j'ai rencontré. Pourquoi Claude? Fraîchement sortie de sa formation en programmation neurolinguistique, elle sent qu'elle peut m'aider; et je n'ai rien à perdre. J'ai au contraire tout à gagner à essayer de comprendre ce que je vis. Les rayons du soleil de mai passent à travers la verrière pour me caresser de leur douce chaleur. Je regarde les arbres du salon qui respirent ce printemps... l'hiver a été difficile pour mes plantes et pour moi-même. Mes yeux tombent sur le livre orange qui repose depuis trois mois sur l'amplificateur sté-réo; je constate que même la femme de ménage n'ose pas le déplacer... il est là depuis ce soir de pluie du mois de mars. Je ne l'ai jamais ouvert. Ne l'ai-je acheté que pour sa forme et sa couleur? Lui aussi est là et il attend.

Claude me surprend dans mes pensées.

— La porte était ouverte, je me suis permise d'entrer.

Connaissant bien la maison, elle rapproche deux fauteuils.

— Installons-nous.

Je m'assois. Nous ne parlons pas beaucoup, car nous sommes toutes les deux préparées à cette rencontre. Je suis détendue et confiante; j'ai vu Claude maintes fois utiliser cette approche, et je la sais compétente.

— Maintenant, Marie Lise, ferme les yeux et tente de me décrire en détail ce qui s'est passé une des premières fois où tu as vécu ce malaise devant un groupe lors d'une conférence.

Je me détends encore plus, je respire profondément, je la regarde une dernière fois avant de fermer mes yeux, pour prendre courage dans son regard, puis je plonge dans ma mémoire. C'est le noir. Je demande à mon cerveau de m'amener à ce souvenir; c'est toujours le noir. Mon corps commence à se tendre, des images commencent à se former. J'y suis... mon corps se tend de plus en plus. Je ressens cette angoisse qui me serre la poitrine. Je pense combien je déteste cette sensation. Mon rythme cardiaque s'accélère. Je tente de ne pas juger. Claude me parle, de cette voix qui s'adresse à la fois à mon conscient et à mon inconscient.

— Marie Lise, décris-moi exactement ce qui se passe.

J'ai la bouche soudainement sèche; les mots semblent coller à mon palais.

— Je suis assise devant une centaine de personnes qui sont venues m'écouter parler d'autoguérison. Je me sens mal, très mal. J'ai des sueurs froides.

Claude m'observe avec soin :

— Qu'est-ce qui fait que tu te sentes si mal?

— Je ne sais pas, ça m'a pris tout à coup; j'étais bien, puis je suis mal.

Claude ne me lâche pas.

— Qu'est-ce qui t'a pris tout à coup? Souviens-toi, tente de me décrire.

Je sens l'angoisse qui me reprend de plus belle et les jugements qui viennent : «Tu es folle, c'est ça qui te prend, tu es folle.»

«Marie Lise»... la voix de Claude réussit à me sortir de l'emprise de mes jugements. Je pleure. Je crois sincèrement que je n'arriverai jamais à me libérer.

— Marie Lise, reviens, ouvre les yeux.

Je n'ai plus le goût de poursuivre. Les yeux de Claude me regardent avec compassion;

— Je sens qu'on y est, Marie Lise, courage. Décris-moi le moment où, assise devant le groupe, tu es bien.

Je ferme les yeux de nouveau et immédiatement le souvenir se présente à ma mémoire.

— Je suis toujours assise devant les gens... je donne la conférence, je suis heureuse de communiquer mon expérience, je me sens enjouée et en bonne communication avec l'auditoire puis, soudainement, je me sens me dédoubler, je m'entends parler et en même temps, je ressens à l'intérieur de moi une force, une force qui veut aussi parler sur le même thème, en n'utilisant pas les mêmes mots. Je tente de revenir à ce que je suis en train de dire, j'essaie de me concentrer sur le message que je suis à transmettre. Le même phénomène recommence avec encore plus de force, je me sens maintenant aspirée vers l'arrière et vers le haut, je résiste à cette sensation, j'ai l'impression que je vais basculer, je sens que le message que je veux transmettre n'est pas du tout ce que cette énergie veut communiquer. Plus je résiste, plus je

15

me sens aspirée. J'ai peur, mon cœur palpite, j'ai des sueurs froides, je perds le contact avec les autres, je me sens partir... C'est affreux, je me sens aspirée de plus en plus fortement, j'essaie de me retenir sur ma chaise, je me sens partir, je me sens partir, j'ai peur de perdre conscience. Mais, au lieu de perdre conscience, je me dédouble, c'est affreux... Claude, je n'en peux plus.

J'arrête de parler. Je pleure, je me sens si seule dans toute cette expérience. J'ouvre les yeux et je fixe devant moi la verrière du salon. Claude me parle doucement, me fait doucement revenir.

— Marie Lise, regarde-moi bien; ce n'est pas si compliqué, ce que tu vis, c'est que tu quittes ton corps. C'est une expérience «hors corps».

Claude me regarde avec ses grands yeux et me sourit.

Un phénomène hors corps... Je laisse ces mots résonner en moi. Mais ils n'ont aucune résonance, je suis en pays inconnu. J'écoute Claude m'expliquer de façon très grossière ce qu'est ce phénomène. Je comprends qu'elle ne s'y connaisse pas vraiment plus que moi. Est-ce que ceci expliquerait la sensation que j'éprouve, maintenant quasi quotidiennement, d'être aspirée, peu importe le lieu, que ce soit dans mes classes d'antigymnastique, en présence d'amis, dans la rue, à la maison? Je me sens constamment appelée ailleurs. C'est invivable; je combats et je suis fatiguée de combattre.

La pièce est remplie d'une énergie subtile, je suis en présence de The Transformers, les entités canalisées par Francis Hosein.

— Greetings to you, Marie Lise.

— Greetings to you, The Transformers.

— Avez-vous un commentaire d'ouverture, The Transformers?

La voix de Diane Paquet, le directeur de transe de Francis, est calme et posée. J'écoute en silence le commentaire que me donnent les entités, je ferme les yeux pour encore mieux ressentir leurs vibrations. Leur commentaire concerne la notion de problème : ne pas avoir peur des problèmes... Les entités me parlent dans un vieil anglais d'Angleterre, ce n'est pas facile à comprendre, toutefois je décide de ne pas m'attarder aux mots mais bien à la vibration que ceux-ci transportent. Je ressens tellement d'amour que j'en suis tout émue, je les sens lire mon âme sans jugement, avec humour et respect. Je me sens si bien en contact avec leur vibration! J'ouvre de nouveau les yeux pour regarder le corps de Francis, étendu, enveloppé dans une couverture même si nous sommes en juin; seule la bouche bouge et un peu les pieds. La voix qui émane de Francis, inconscient, n'est pas la sienne; c'est assez surprenant. Je suis encore fascinée par le processus de médiumnité, même si j'en suis à ma troisième rencontre depuis cinq mois. Je connais et reconnais à chaque fois la vibration des Transformers; elle est unique, je les sens bien présents, à me lire. Mon conjoint est assis près de moi, il est tout aussi abandonné, respectueux de l'échange. Nous reconnaissons tous les deux le caractère sacré de la rencontre.

La séance évolue à son propre rythme. J'échange avec eux sur différents aspects de ma vie, dont ma relation avec l'homme assis à mes côtés. Je me sens à l'aise de confier ce que je ressens, car je n'ai rien à cacher. Nous savons, lui et moi, que la relation se termine, même si nous repoussons cette séparation. Les entités nous parlent de nos vies antérieures communes, expliquant certaines difficultés relationnelles de cette existence-ci. Je pleure, car je ressens tant de douleur en moi face à cet homme et, en même temps, tant d'amour. Ils lui parlent de sa difficulté à m'accepter telle que je suis, du miroir que je lui renvoie de lui-même, image à laquelle il résiste.

Puis le silence s'installe; la pièce est remplie d'amour, je ferme les yeux, je vais à l'intérieur de moi-même vérifier si j'ai d'autres questions à leur poser. J'entends les Transformers qui reprennent la parole.

— Il est temps maintenant, Marie Lise, que vous sachiez qu'une énergie de lumière veut vous canaliser, et ce depuis quelques années. Ce groupe d'entités a une mission très concrète à accomplir à travers vous. Vous les canalisez déjà inconsciemment; il est temps que vous le sachiez consciemment. Nous sommes heureux de vous l'annoncer.

J'ouvre les yeux, éberluée. Les entités continuent, sans attendre.

— Vous êtes médium tout comme la forme Francis, toutefois votre processus de médiumnité en sera un animé, ces êtres de lumière auront besoin d'utiliser votre corps physique pour accomplir ce qu'ils ont à accomplir, si vous le choisissez, car vous avez le choix d'accepter ou de refuser.

J'entends, mais je n'écoute pas; je ne veux pas entendre. Je comprends tout, mais je ne comprends rien; je ne veux pas comprendre. Le vieil anglais qu'ils utilisent semble encore plus incompréhensible. J'ai tout entendu, mais je n'ai rien enregistré, j'ai l'impression qu'ils parlent à quelqu'un d'autre. Je regarde Diane, je cherche de l'aide. Elle me sourit et me fait signe de son corps que j'ai bel et bien entendu. Mon mental fait abstraction même de son information. Je me dis que j'ai dû halluciner. Les entités continuent toujours sans m'attendre.

— Nous savons que vous êtes de plus en plus aspirée et que vous ressentez cet appel en vous depuis quelques années. Il vous faut comprendre que vous avez déjà accepté, avec votre âme et votre inconscient, cette forme de canalisation, et c'est pourquoi vous vivez ces phénomènes. Nous allons vous suggérer un exercice respiratoire qui devrait vous aider à calmer ces manifestations et d'ici là nous vous suggérons de réfléchir à ceci et de prendre le temps de choisir si oui ou non vous désirez vivre ce processus de médiumnité. Nous pouvons vous assurer que vous canalisez des entités très évoluées et qu'elles ont à contacter les humains à travers vous. Nous devons maintenant cesser la séance. Que Dieu soit avec vous, Marie Lise.

Diane récite les prières pour ramener Francis dans son corps et pour que les entités repartent en équilibrant les différents systèmes du corps du médium. Ceci complété, elle se tourne vers moi.

— Es-tu contente?

— Ai-je bien entendu?

— Oui, tu es en plein développement d'un processus de médiumnité.

Elle me sourit d'un air complice. Je regarde mon conjoint : il ne bouge pas, il fixe toujours Francis qui se réveille.

— Es-tu contente? me demande-t-elle de nouveau.

— Je crois que je suis en état de choc.

— Je te comprends, ce n'est pas tous les jours qu'on apprend qu'on est médium.

Je suis contente qu'elle soit là, et son calme me touche. Je suis toujours en état de choc, je n'arrive pas à me lever de ma chaise. Toutes sortes de pensée déferlent dans ma tête. Moi médium? Je ne le crois pas. Qui suis-je pour être médium? Qu'est-ce que cela veut dire être médium? Qu'est-ce que ça mange, qu'est-ce que ça boit? Sont-ils des êtres normaux? Je me mets soudainement à regarder, d'un autre œil, Francis qui se lève. Il me regarde un peu surpris, je réalise qu'il ne sait pas, lui; il était en transe profonde pendant la séance, et il ne se souvient de rien. Mon conjoint me prend la main pour m'aider à me lever de ma chaise et je vois dans ses yeux qu'il est loin d'être à l'aise.

Je salue Diane et je quitte le domicile comme dans un état de rêve. Dehors le soleil nous accueille. Cette journée du mois de juin est resplendissante. Je ressens un profond besoin de marcher, marcher pour comprendre, marcher pour intégrer ce qui vient de se passer. L'auto nous attend devant la porte. Je m'arrête sur le trottoir et je regarde le ciel. Je sens soudainement une profonde paix s'installer en moi, comme si je pouvais enfin me reposer... ce sentiment de paix s'installe de plus en plus, et mon mental s'apaise du même coup. Je savoure ce moment, puis me vient la pensée que tout ce que je vis comme malaises depuis deux ans vient de prendre un sens — surprenant, certes, mais un sens — j'ai l'impression que mon âme me sourit comme si elle savait depuis si longtemps...

Arlene, qui a choisi de diriger ma première transe, m'installe bien confortablement sur le futon. Je m'enveloppe d'une couverture, je me sens calme. Je viens de pratiquer mon exercice respiratoire pendant vingt minutes. Elle commence à réciter le rituel d'induction, donné par Francis et Diane. Je sens que je m'enfonce de plus en plus dans le futon; mon corps devient très lourd, puis doucement je perds petit à petit contact avec les sensations de mon corps physique. L'instant d'une seconde, je me contracte — cette sensation est vraiment spéciale — je ne suis pas certaine d'y être à l'aise. Je choisis de faire confiance et de m'abandonner à l'induction. Je perds maintenant contact avec mon corps physique, mais je l'habite encore, je sais que je l'habite encore. J'entends la voix d'Arlene, très lointaine, qui récite maintenant les prières de protection. Je me rends compte, en entendant sa voix, que je suis à quitter mon enveloppe physique : je ne suis plus dans mes pieds, ni dans mes jambes, ni dans mon bassin; je suis encore à habiter mon cœur et mon thorax.

Arlene continue l'induction. Je l'entends toujours dans le lointain; soudain je sens une autre présence en moi, qui entre par ma tête, par mon chakra couronne. Je perçois une lumière bleue, d'un bleu infini, d'un ton que je n'ai jamais vu sur terre. Je ressens une sensation d'amour total qui commence à m'habiter, qui m'enveloppe, qui m'entoure; je me demande comment je vais faire pour cohabiter avec cette présence en moi, car l'énergie d'amour est tellement forte que j'ai peur que mon corps, que mon cœur éclatent. Avec cette pensée je me rends compte que je ne suis plus dans mon corps — donc il n'y a aucun danger — je suis à côté de mon corps, à droite, et j'observe mon enveloppe physique qui est maintenant habitée par cette énergie. Comment suis-je sortie par la droite? Je suis vraiment étonnée et j'ai peur que mon étonnement n'entrave le processus. Mais non, je constate que, étonnée ou pas, le processus se poursuit entre cette énergie et le directeur de transe, sans moi. Je suis soulagée...

J'entends encore, de plus loin, Arlene qui pose des questions aux entités et j'observe l'énergie d'amour qui habite mon corps tenter d'utiliser ma bouche, ma langue, mon appareil vocal pour répondre. Je suis totalement fascinée par ce dont je suis témoin, toutes les réponses aux questions d'Arlene m'apparaissent comme sur un écran, devant moi, comme si cette énergie me permettait d'être témoin de tout. Je peux lire ce que les entités veulent répondre, mais je ne peux répondre à leur place; je n'habite plus mon corps physique, je ne suis plus en possession de mon corps, ce sont elles qui le sont. Je voudrais les aider, mais je ne sais pas comment faire; je les vois tenter de faire bouger la langue et tenter d'émettre quelques sons. Enfin sortent un mot, deux mots, même une phrase. J'aurais envie

de leur dire : faites ceci, faites cela, utilisez la langue ainsi...
Après tout, mon réflexe d'orthophoniste n'est pas si enfoui.
Il semble que ma communication ne passe pas.

Je suis totalement pénétrée de leur vibration, je me sens protégée, enveloppée de leur amour, de l'amour du divin, et j'en suis profondément émue. Jamais dans ma vie je n'ai été témoin d'autant d'amour, de bonté et de grâce. Cet état n'est pas humain, cet état est divin. Je ne sais pas combien de temps passe ainsi, mais à un moment donné je constate que les systèmes de mon corps que je n'habite pas commencent à se fatiguer; je sais que l'énergie qui habite mon enveloppe le sait et qu'elle se prépare à quitter. Comment vais-je faire pour réintégrer mon enveloppe? J'entends Arlene qui demande aux entités d'équilibrer mon corps, je les vois l'équilibrer, elles distribuent une lumière blanche dans tous les chakras, elles agissent sur le cerveau, comme si elles équilibraient les hémisphères, puis soudainement je me sens happée, réintégrant à une vitesse folle mon enveloppe. C'est soudain le noir. Je crois avoir perdu conscience un instant. Lorsque je reviens à moi, je suis dans mon corps, je suis tout ankylosée, endormie, engourdie. Mon cœur déborde d'amour à en faire mal. Je pense que je ne pourrai jamais contenir leur amour inconditionnel dans ma pauvre enveloppe physique.

Arlene me parle, elle pleure d'émotion. Je tente d'ouvrir les yeux, mes paupières sont infiniment lourdes. Je réussis à articuler que je vais bien; ma mâchoire me fait mal. Les muscles de mon visage sont endoloris de l'effort des entités à vouloir utiliser un corps. Mon directeur de transe me suggère de m'asseoir, j'en suis incapable. Je suis étourdie, ébahie par ce qui vient de se produire. Je lui demande l'heure, elle m'informe que cela fait 25 minutes que je suis en transe. Là où j'étais, le temps n'existait pas; là où j'étais, il y avait tellement d'amour... je me mets à pleurer. Est-ce possible qu'il existe tant d'amour et que nous, les humains, nous l'ignorions? Est-ce possible qu'il existe tant de douceur, de grâce et de bonté? Comment faisons-nous pour vivre sans cela, pour survivre autrement?

Assise en position de méditation, je contemple les dernières lueurs du coucher de soleil du mois d'août à travers la verrière du salon. Le livre orange *Le Livre des médiums* traîne toujours dans la pièce, cette fois sur la table à café. J'entre à l'intérieur de moi, j'ai besoin de faire le point sur ce que je viens de vivre. Les heures qui ont suivi la première transe ont été chargées en émotions de toutes sortes. Je suis passée de l'euphorie à la tristesse, de l'état de grâce à un sentiment de dépression. Francis m'avait prévenue : le processus de canalisation entraîne une puissante désintoxication des chakras, des glandes, des organes internes et du système nerveux central. Je ressens pour ma part que c'est l'énergie du cœur qui est le plus atteinte par l'expérience. Toute la journée, je débordais d'amour envers les autres et envers moi-même; j'avais constamment la larme à l'œil, émue par tout, par tout ce qui m'entourait. Il m'était même difficile de fonctionner dans cet état de vulnérabilité. J'étais à la fois heureuse et triste. De quoi étais-je triste?

Je ressens de nouveau l'énergie du cœur qui se met à bouger. Pour la nième fois aujourd'hui, je me laisse aller à pleurer. J'essaie de suivre la trace de mon émotion; je me pose avec douceur la question : qu'est-ce qui t'attriste tant,

Marie Lise? La question est certainement entendue par une partie de moi, car l'émotion s'exprime de plus belle, je la suis en silence, avec respect; je suis le mouvement de cette énergie. La réponse me vient doucement de mon cœur, de mon âme, de mon essence : «J'ai enfin retrouvé le divin, je ne veux plus jamais m'en séparer, je ne veux plus jamais perdre ce contact». J'écoute avec respect la voix de mon âme, je l'entends, je la laisse résonner dans toutes les fibres de mon corps; mon cœur physique me fait mal, je le ressens trop petit pour contenir toute l'énergie de ces retrouvailles intimes. Je comprends, à la lumière de cette émotion, que le processus de médiumnité que j'ai choisi de développer sert avant tout mon âme. Je suis heureuse de la servir, je suis contente de lui répondre.

J'ouvre les yeux. Le soleil s'est couché, la brunante s'installe sur Montréal. La tour de Radio-Canada revêt son manteau de lumière. Ma verrière devient, par la magie du soir, un immense œil ouvert sur Montréal. Je regarde l'activité encore intense du boulevard René-Lévesque, j'ai l'impression de contempler le monde entier. Je me sens à la fois très petite et très grande face à ce monde terrestre. Il est maintenant encore plus clair pour moi que je choisis consciemment de vivre ce processus de médiumnité. Je sais que ma vie en sera totalement transformée. Ce soir, je n'ai pas peur : l'énergie vécue est trop douce à mon âme pour que j'aie peur. Je me sens vraiment sur la voie, sur ma voie. Je sais aussi qu'aujourd'hui j'ai ouvert une porte de conscience. Je suis seule face à ce monde inconnu, seule dans ma vie; mon conjoint m'a quittée, je suis seule. Je laisse ce sentiment faire sa place en moi, je ferme de nouveau les yeux; mon corps est calme, un doux silence s'est installé en moi. Je prends soudain conscience que je ne suis plus seule, car mon âme a retrouvé sa Source.

J'entends la voix de mon directeur de transe qui me guide dans l'induction... j'en suis approximativement à ma trentième transe, une par jour depuis trente jours. Je commence à reconnaître le processus d'induction et d'abandon qui produit l'état de conscience altérée. Rapidement, maintenant, je perds les sensations de mon corps physique, je me laisse flotter, je m'abandonne aux prières, je me recentre dans la Source de lumière et d'amour infini qui m'habite. Je me sens monter, monter, mais aujourd'hui cette ascension est plus ardue; est-ce toujours ainsi sauf qu'il m'est donné d'en être plus consciente? J'ai l'impression que ma conscience erre plus que d'habitude. Rapidement, je me passe en revue : y a-t-il quelque chose qui me distrait? quelque chose qui me retient au plan terrestre? est-ce que je voulais vraiment vivre cette transe? Il n'y a rien qui me préoccupe sauf que je constate que je suis plus fatiguée que d'habitude. Je prends soudainement conscience de quelque chose de gris accroché à mes corps subtils et c'est cela qui me retient de monter facilement. Quelle est cette matière grise?

Le directeur de transe continue son induction sans

s'apercevoir de ma difficulté. Je me tourmente tout à coup, car ma conscience veut s'élever, mais elle n'arrive pas à quitter le corps physique; je me sens déchirée, écartelée. Il y a un obstacle qui m'empêche de sortir de mon corps. Mon cœur se met à palpiter, car je me sens prise dans un carcan. Je voudrais communiquer au directeur ma difficulté, je constate avec désarroi que je ne peux plus bouger, que je ne peux plus parler; je suis trop partie, je voudrais revenir mais les prières et le réflexe de transe m'entraînent à m'élever. Je n'ai pas le choix, je me dois de confronter la «chose grise». Je prie, j'appelle la Source à mon aide. Plus ma conscience tente de s'élever, plus je ressens la gangue grise.

Cette forme d'énergie m'entraîne dans un lieu que je ne connais pas. J'ai l'impression que ma conscience a pris un ascenseur qui risque de s'arrêter au mauvais palier. Ce sentiment est très fort, mon cœur se met à palpiter de plus belle. Je me sens prise, l'angoisse m'habite, je prie.

Soudainement je sens des présences autour de moi, présences que je ne connais pas. Ce sont des âmes, elles souffrent, elles pleurent, elles crient. Je vois des masses noires qui essaient de m'attirer. J'ai tellement peur, et j'ai l'impression de vivre un cauchemar. J'ai l'impression d'être en enfer. Je crie à l'intérieur de ma conscience : «Mon Dieu aidez-moi, aidez-moi!» Je me mets à réciter la prière de la lumière, je sens que l'on vient à mon aide, la gangue grise qui me retenait de sortir de mon corps semble se dissiper, je suis toujours au même palier mais les portes de l'ascenseur semblent s'être refermées. Je me sens plus protégée. On m'informe que j'étais «chargée» d'énergie captée par les nombreuses heures de thérapie données dans la journée, puis l'on me dit de me projeter au plus haut point de lumière, d'y monter maintenant, de ne pas rester à ce plan. J'écoute à la lettre les instructions, je me recentre en Dieu, j'appelle Dieu, je ressens l'ascenseur de ma conscience qui se remet en marche; mon rythme cardiaque se calme, mon corps se détend de nouveau, je continue de monter par mes propres moyens, car le directeur a terminé depuis un certain temps son induction. Je vois les différents niveaux de lumière, c'est de plus en plus beau, ma conscience maintenant a presque quitté mon corps. J'attends le signe de lumière bleue pour arrêter mon ascension. Je monte, je monte à une vitesse vertigineuse, je suis de plus en plus remplie de lumière, d'amour, de grâce. Ce que je viens de vivre semble très loin maintenant. Dans mon cerveau, c'est l'éclatement. Je reconnais l'énergie qui me canalise, je peux maintenant quitter mon corps. Je sors par la droite et j'entends les entités dire : «Nous sommes arrivées».

Je suis tellement contente qu'elles soient arrivées et que je sois sortie de mon corps, me reposant dans mon cocon de douceur et d'amour! J'ai l'impression d'avoir vécu un cauchemar. L'enfer existerait-il vraiment? Je contemple le jeu des entités d'amour qui m'habitent et leur dialogue avec le directeur. Comme elles sont heureuses, comme elles sont joyeuses! Elles sont constamment elles-mêmes : amour inconditionnel, non-jugement, béatitude. J'entends le directeur qui leur demande ce qui s'est passé lors de l'induction. Je reçois leur réponse et je comprends, à la lumière du dialogue, que je dois apprendre à me nettoyer et à séparer de quelques heures le temps des rencontres individuelles de thérapie du temps de transe. J'ai à reconnaître que je suis un médium et que je capte beaucoup plus qu'avant les énergies ambiantes. De nouveau je les entends raconter au directeur de transe que l'énergie grise m'empêchait de m'élever et m'a fait arrêter au niveau du bas astral. Je constate que pour elles ceci est fort simple et qu'encore une fois elles ne portent aucun jugement.

Pendant qu'ils échangent ainsi, je les observe équilibrer mon corps de la tension vécue lors de l'induction grâce à de longs fils énergétiques de lumière bleue, fils qui semblent venir de leur enveloppe vibratoire. Ces fils semblent réparer mon enveloppe physique, mon plexus et mon cœur. Le spectacle est grandiose. Je les sens qui se préparent à quitter. Le directeur les remercie. À mon tour, dans mon cocon, je les remercie de leur travail sur moi; je me prépare à réintégrer mon enveloppe en les entendant dire leur phrase de départ habituelle. À ma grande surprise j'entends :

— Nous nous appelons «The Angels». Nous sommes des anges. Ceci est dit en toute simplicité. Puis vient leur phrase habituelle de départ :

— Nous allons maintenant quitter. Que la Source soit avec vous, vous enveloppe de sa lumière, vous guide et vous protège.

Ma surprise à peine manifestée, je suis happée, et de retour dans mon enveloppe physique. J'entends la directrice, tout agitée, qui s'écrie :

— Elles se sont nommées! elles se sont nommées!

Je partage sa joie et sa surprise. Cela fait vingt-neuf fois qu'on leur demande de se nommer et voilà qu'elles nous déjouent et se nomment quand nous oublions de le leur demander.

— Des anges! rends-toi compte, ce sont des anges!

Je suis vraiment étonnée. Je ne connais rien des anges, si ce n'est l'image qui marquait la page de mon missel lorsque j'étais enfant. Elle était magnifique, cette image; entourée de dentelles, elle représentait un ange portant une robe de couleur bleue et des ailes blanches. La couleur bleue! Est-ce que l'énergie de couleur bleue, qui caractérise tant leur arrivée dans mon corps physique lors de la canalisation, serait la couleur attitrée des anges, de ces anges?

Le directeur est maintenant parti, je peux m'asseoir avec moi-même et cette nouvelle. Des émotions contradictoires m'habitent maintenant. Je ne sais plus si je suis contente que les entités se soient nommées. Je constate que je suis à l'aise avec leur vibration d'amour; je suis moins à l'aise avec leur nom. Pourquoi des anges? Pourquoi moi et des anges? Mille questions surgissent à ma conscience. J'aurais envie de me frapper sur la tête pour me réveiller d'un songe. Qu'est-ce que je fais sur terre à canaliser des anges? Je sirote la demie bière salée prescrite par les entités après la transe pour m'ancrer sur le plan physique. Dire que je n'aimais pas la bière avant la médiumnité! Je revois rapidement la scène de ce que j'ai perçu comme étant l'enfer du bas astral. Ainsi, cela existe vraiment, ce lieu où les âmes souffrent, car je les ai bel et bien vu souffrir, gémir, se plaindre. J'en ai soudainement des frissons. Quelle différence avec l'énergie d'amour et de grâce qui me canalise! Je mesure l'importance d'être un canal de lumière pour partir en transe, l'importance de me nettoyer, d'être le plus purifiée possible et de choisir la lumière pour canaliser. C'est la première fois de toute ma vie consciente qu'il m'est donné de côtoyer des plans de conscience avec lucidité. Je me sens à l'école du monde subtil. Une question se présente à moi : qu'arrive-t-il lorsque le médium s'arrête à ce plan de l'astral? Je n'ose même pas y penser.

Étendue sur ma chaise longue à l'auberge La Catalina, je réfléchis à ce que les Anges me demandent et je n'arrive pas à m'y faire. Ils exagèrent. Sincèrement, ils exagèrent. Je me tourne vers mon amie médium qui m'accompagne dans ce voyage de repos, je la consulte.

— Qu'est-ce que tu ferais toi, à ma place? Irais-tu trouver un inconnu pour lui dire que les entités que tu canalises veulent lui parler?

— Oui, j'oserais.

Un peu surprise de sa réponse, je me tais. Je tente de me réconforter en me disant que cet inconnu n'est pas un pur étranger. Cet été, en juillet, lors de mon premier voyage ici, Claude, le propriétaire, me l'a présenté l'espace de quelques secondes. Je ne connais rien de lui sauf qu'il travaille avec un maître spirituel, qu'il pratique la guérison par imposition des mains et qu'il possède une compagnie immobilière. C'est ce que Claude m'a dit. Depuis un mois, je l'ai vu dans deux de mes rêves et depuis ce temps, les Anges insistent pour le rencontrer. Je résiste. Je sais que c'est mon ego qui résiste, j'ai peur du ridicule. Le processus de médiumnité que je vis est tellement intime que je n'ai pas du tout l'envie de m'afficher devant un étranger, qu'il soit ouvert à la spiritualité ou non. J'ai pris ma décision : c'est non. Je n'irai pas à Sosua le rencontrer. Je dis non aux Anges.

Mon amie médium se retourne sur sa chaise.

— Et puis?

— C'est non.

Elle éclate de rire. Je la laisse se moquer gentiment de moi, je suis contente d'être au soleil à me faire dorer la peau. La Catalina est un endroit de rêve, un réel paradis sous les palmiers de la République Dominicaine. Il était temps que j'arrête pendant deux semaines l'horaire fou du Québec : séances d'antigymnastique, séances individuelles, formation en imagerie, formation en Approche Globale du Corps, en plus des transes quotidiennes et du livre sur l'antigymnastique que je suis à écrire. Je suis essoufflée, étourdie. Le développement du processus de médiumnité entraîne un changement physiologique notable. Je me réveille certains matins avec des poussées hormonales qui ressemblent aux symptômes de femmes enceintes : nausée, étourdissement, gonflement des seins, diarrhée. J'ai des poussées d'énergie sexuelle à ne plus savoir qu'en faire. Mon corps s'est aminci et mes seins ont grossi. C'est à n'y rien comprendre. Selon les entités, ces changements hormonaux sont dus à l'adaptation de mon système nerveux autonome à leurs vibrations élevées. Francis et Diane m'avaient pourtant bien prévenu qu'il y aurait une période intense de changements physiologiques au début : ceci peut durer de six à huit mois. Ces bouleversements dans mon corps m'obligent à me reposer plus souvent, ce que je ne fais pas. Les Anges ont vraiment insisté pour que je vienne ici me reposer au soleil et à ça, j'ai dit oui.

— Marie Lise, je me retire du soleil, je vais me reposer un peu avant la transe, si tu veux bien toujours la diriger.

— Mais oui, j'accepte avec plaisir.

Je ne peux m'empêcher de me comparer à cette personne que je connais à peine mais avec qui je me suis liée rapidement d'amitié, dû au développement similaire de nos processus de médiumnité. Même si nous vivons un processus semblable, nous sommes vraiment différentes : elle est beaucoup plus à l'aise avec son processus que je ne le suis, elle l'affiche, elle en parle ouvertement, elle ne se pose pas de questions. Elle y semble beaucoup plus abandonnée. Cette canalisation a débuté pour elle après avoir vécu une expérience de mort clinique, où elle aurait rencontré des êtres de lumière qui se sont par la suite manifestés à elle par l'écriture automatique, puis par la transe profonde. Son cheminement est vraiment différent du mien, son acceptation aussi. Son expérience de mort clinique et de développement psychique l'ont entraînée vers une séparation conjugale. Elle vient tout juste de quitter son mari, c'est pourquoi je l'ai invitée à m'accompagner en voyage pour qu'elle se repose.

Je me prépare intérieurement à rencontrer ses entités. Je souris à l'idée d'être à mon tour directeur de transe — cela fait changement. Je m'installe pour méditer et me préparer.

Je pénètre dans la chambre, mon amie est déjà assise sur sa chaise. À ma surprise, je constate qu'elle est déjà en transe, ce qui, quelquefois, lui arrive car elle a de la difficulté à maîtriser son processus. Je salue les entités; je me sens un peu mal à l'aise : j'aurais préféré qu'elle m'attende.

Ces entités me saluent à leur tour. Je m'assois en face d'elles, je n'ai pas le temps de débuter mes questions qu'elles commencent à dialoguer à mon sujet. Le débit est différent des séances précédentes, le sourire est différent aussi. Je me sens soudain mal à l'aise. Je ressens une étrange sensation, une sensation de faux... Le langage qu'elles me tiennent est très flatteur, et je me sens de plus en plus mal. J'ai le réflexe de reculer ma chaise pour mieux prendre une distance. J'essaie de descendre en moi pour vérifier ce qui me rend si mal à l'aise. Je me rends rapidement à l'évidence que ce sont les propos tenus par les entités, trop flatteurs, ils ne sont pas vrais, je le ressens de plus en plus profondément comme si elles voulaient que je leur abandonne totalement ma confiance pour pouvoir m'atteindre encore plus profondément.

Je me recule encore plus, mon corps se raidit, je suis soudainement inquiète pour mon amie. Où est-elle? qui sont ces êtres qui l'animent en ce moment? Je ne sais plus que faire. Je me mets à prier intérieurement... Instinctivement, je me mets à penser à une stratégie. Il ne faut surtout pas que je leur montre mon désarroi et ma résistance. J'ai peur pour mon amie médium, j'ai aussi peur pour moi.

Je décide donc de jouer le jeu de ces entités douteuses : je les remercie de leurs propos flatteurs et je m'informe, comme si de rien n'était, si tout va bien avec la «forme» qui est mon amie. Elles me répondent qu'elle est un peu fatiguée parce qu'elle s'est séparée de... (ils nomment son ex-mari). Cette réponse m'inquiète encore plus car je sais par intuition que des entités élevées se retireraient si l'humain qui les canalise était fatigué. Je leur demande de cesser la transe, ce qu'ils ne font pas. La panique s'empare de moi, j'ai très chaud, j'ai l'impression que je vais perdre connaissance et, avec horreur, je sens que les entités veulent me canaliser aussi. Je sens qu'elles cherchent à me déraciner. J'utilise aussitôt la technique enseignée par les Anges, je ferme mon chakra couronne, je m'enracine dans le sol, je prie de plus en plus fort, j'appelle la lumière, je récite intérieurement la prière de la lumière. J'entends les entités qui continuent de parler, leur sujet est maintenant l'ex-mari de mon amie; elles tiennent sur lui des propos pleins de jugements, de haine cachée, leur langage est comme du venin. J'ai mal dans tout mon corps. Je n'en crois pas mes oreilles. Je me rends compte que je suis en contact avec des entités de bas niveau car aucune entité élevée ne tient pareil langage. Je ne sais plus que faire. Soudainement mue par une force, je me lève de ma chaise et je m'approche du corps de mon amie et, d'une voix forte, je somme les entités de quitter immédiatement son corps. Je les informe que la transe est terminée et que je vais commencer à réciter la prière de la lumière immédiatement.

— Nous sommes la lumière, la lumière est en nous, la lumière est tout autour de nous, la lumière nous enveloppe, la lumière nous entoure, la lumière nous protège. Nous sommes la lumière, nous sommes la lumière, nous sommes la lumière.

Je regarde le corps qui est devant moi. L'énergie qui l'habitait semble l'avoir quittée. Sa propre conscience revient petit à petit, je lui masse les pieds, le cou. Dehors, le soleil s'est couché, il fait maintenant nuit. Seule une bougie éclaire la pièce. Je me mets à trembler, l'adrénaline sécrétée durant la dernière heure fait son effet.

— Est-ce que cela s'est bien passé? me demande-t-elle encore tout endormie.

Je me rends compte qu'elle n'a été consciente de rien. J'ai subitement envie de la gifler pour qu'elle se réveille de son inconscience, tellement je me sens en colère.

— Pourquoi ne m'as-tu pas attendue pour débuter la transe?

— C'est venu tout seul, je m'y suis abandonnée.

— Mais qu'est-ce que tu fais avec ton processus de médiumnité? Pourquoi n'apprends-tu pas à le contrôler? Est-ce que tu réalises que tu peux ouvrir ton canal à n'importe quelle entité qui erre?

— Non, me dit-elle, en me regardant étrangement

— As-tu encore de la haine envers ton ex-mari?

— Non, enfin je ne crois pas

— Je te suggère de vérifier ceci sérieusement, ne prends pas ta séparation à la légère. N'oublie surtout pas que tu es un canal.

Mon amie continue toujours de me regarder avec un regard interrogateur. Je me sens incapable de lui dire ce qui s'est passé. Je ne me sens pas en confiance, j'ai besoin de comprendre, je me sens totalement déroutée, je remets en question tout ce processus. Je n'y vois plus clair. Je quitte sa chambre pour me réfugier dans la mienne. Je ferme la porte à clef.

Après avoir fait brûler de l'encens, je m'assois sur mon lit pour laisser mon corps trembler. J'ai besoin d'aide, je sens mon système nerveux drôlement ébranlé. En vérité, je me sens déséquilibrée. J'ai l'impression d'avoir eu à déployer une force incroyable pour me sortir de cette expérience sans être blessée. Je me sens au bord d'une crise de nerfs, j'ai peur de perdre pied. Une foule de questions se bouscule dans ma tête : qui habitait le corps de cette femme? comment aurais-je pu prévenir ceci? pourquoi ai-je à vivre ceci? Une voix à l'intérieur de moi me demande d'équilibrer mes chakras. Je réponds à cette demande.

Couchée sur le lit, je regarde le ventilateur qui remplit sa fonction de changer l'air dans la pièce. Il fait chaud, le mois de novembre est humide en République Dominicaine. Je me sens maintenant plus calme, ma tempête intérieure s'est calmée, mes centres d'énergie sont stabilisés, je n'ai plus peur. Je me sens en sécurité dans ma chambre et en moi-même. J'aimerais en ce moment pouvoir parler à Monique, mon propre directeur de transe, ou à Francis, ou encore aux Transformers. Si au moins je pouvais parler aux Anges! Je veux savoir exactement ce qui s'est passé en cette fin d'après midi. Pourquoi a-t-elle canalisé ces entités de bas niveau? Comment me protéger contre cela?

Je m'enveloppe encore une fois de lumière, je savoure la sécurité de ma chambre. Malheureusement, il n'y a pas de téléphone; je ne peux appeler personne au secours, sauf Dieu, et les Anges par voie télépathique. Ce n'est pas par hasard que j'ai à confronter seule cet événement. Je sais que je connais en partie la réponse à la plupart des questions que je me pose, mais j'ai besoin qu'on me confirme mes intui-tions. Avec du recul, je commence à me demander si je n'ai pas halluciné, et pourtant je sais que je peux me fier à mon intuition et à ce que je ressens. Ce qui émanait de la «forme» était loin d'être de l'amour sans jugement; ce n'était que flatterie et jugements. Je me souviens vaguement que Diane m'a parlé de tests... que, souvent, les médiums sont testés à savoir s'ils utilisent leur processus pour le pouvoir ou pour servir. Ce que je viens de vivre me fait sérieusement réfléchir à la responsabilité du médium. Il n'y a rien d'acquis... Il est clair que je choisis de servir dans la lumière. Je choisis de servir dans la lumière... Je laisse cette phrase se répéter en moi comme un mantra, je me laisse bercer par les mots, et ces mots m'apaisent, me protègent. Surgit en moi une décision : demain, je pars pour Sosua tenter de retrouver ce monsieur Ethier que les Anges veulent tant rencontrer. Je n'ai rien à perdre, si ce n'est la peur du ridicule.

— Greetings to you, Marie Lise.

— Greetings to you, The Transformers.

Une forte émotion monte en moi pendant que j'entends Diane, toujours d'une voix posée et calme, leur demander s'ils ont un commentaire d'ouverture.

— Non, vous pouvez débuter la session maintenant.

Un peu surprise, je me mets à balbutier, puis à pleurer. Mon système nerveux évacue ce qu'il retenait depuis longtemps. L'énergie d'amour qui émane des Transformers m'aide à décharger un trop plein de tensions. Je sens que je peux leur faire confiance, et cette confiance est très importante pour moi. Ils sont vraiment les seuls qui peuvent en ce moment me guider sur ce que je vis, sur mes expériences depuis le développement du processus de canalisation.

— Pouvez-vous m'expliquer, The Transformers, ce qui s'est passé le 5 novembre à Cabrera en République Dominicaine?

J'attends. Mon cœur se met à battre très fort.

— A quel niveau?

Je regarde Diane, car je ne comprends pas leur question.

— Ils veulent savoir à quel niveau tu désires l'information.

Je ne comprends toujours pas. Je décide de poser ma question plus directement.

— Y a-t-il eu changement d'entités dans le corps de la forme?

— Oui, il y a eu changement d'entités.

— Donc je ne me suis pas trompée; la forme... ne canalisait plus les mêmes entités?

— C'est exact, vous avez été témoin d'un changement d'entités.

J'ai vraiment l'impression de travailler très fort pour aller chercher l'information dont j'ai besoin. Est-ce que je rêve? Sont-ils réticents à me donner l'information?

Je regarde Diane, et elle me fait signe des épaules qu'elle aussi est étonnée.

— Pouvez-vous m'expliquer ce qui s'est passé, pourquoi cela s'est produit?

— Lorsqu'un médium, pour une raison quelconque, n'est plus dans la lumière, les entités élevées qu'il canalisait ne se présentent plus. Il vous faut comprendre, Marie Lise, que des entités élevées ne vont canaliser qu'un canal qui sert la lumière. Si ce n'est pas le cas, les êtres de lumière ne se présentent pas, et d'autres se mettent à canaliser le canal. C'est ce qui est arrivé.

— Mais, The Transformers, c'est affreux, il faut faire quelque chose! Il faut arrêter ce médium de faire des transes, car je sais qu'elle continue. Je connais même des proches qui l'ont consultée au cours des derniers jours et qui en sont ressortis bouleversés et...

— Marie Lise...

The Transformers viennent de me couper la parole.

— Qui êtes-vous pour juger?

Cette phrase me ramène brusquement à moi. Je suis bouche bée. Je me rends compte que je suis pleine de jugements, une vraie justicière! Je choisis de me calmer un peu. Les entités continuent, sans aucune émotion.

— Ce processus durera quelques semaines ou quelques mois, et si la forme ne change pas intérieurement d'attitude, elle en deviendra malade et ne pourra plus canaliser.

The Transformers font une pause. Ils vont chercher d'autres informations, je le ressens.

— Nous pouvons vous assurer, par de hautes probabilités, que cette forme transformera son attitude, et que les entités de haut niveau qu'elle canalisait reviendront poursuivre leur mission à travers elle. Elle est à guérir certains aspects de sa personnalité. D'ici là, les gens qui la consultent le font pour apprendre à ne pas céder leur pouvoir à quiconque. N'oubliez pas que tous, sans exception, vous vous manifestez votre réalité.

Je ne suis pas certaine de comprendre tout leur enseignement. Je me surprends à vouloir défendre le drapeau de la médiumnité.

Diane me fait signe qu'il ne reste que quinze minutes de transe. J'opte pour un changement de sujet, car je sais que j'ai toujours la possibilité de réécouter la cassette chez moi et de réfléchir à ce qu'ils viennent de me transmettre.

— J'ai une bonne nouvelle à vous annoncer, The Transformers : j'ai un nouvel amoureux dans ma vie, il s'appelle Serge, il habite Montréal, c'est un homme d'affaires, il habite rue... pouvez-vous s'il vous plaît le localiser, j'ai quelques questions à poser à propos de notre relation.

J'attends que les entités localisent la vibration de Serge, ce qu'ils font. J'ai soudainement envie de changer l'atmosphère et de m'amuser avec elles.

— Il est beau n'est-ce pas?

Diane éclate de rire. Je me sens soudainement tout enjouée, comme une enfant.

— Nous avons les vibrations de l'être en question. Que désirez-vous savoir?

— Eh bien! qu'avez-vous à me dire?

— Nous respectons que vous ayez choisi d'être en relation avec cet homme. Nous le comprenons. Toutefois, nous désirons vous informer que cette relation ne sera pas de longue durée. Vous avez une âme sœur qui vous attend et avec qui vous avez une mission spécifique à accomplir.

Une douche froide... leurs mots m'atteignent cruellement. Je sens monter en moi une colère monstre. Ils n'ont pas le droit... ils n'ont pas le droit de me dire cela! Je me sens même en colère contre cette supposée âme sœur dont j'ignorais l'existence il y a quelques secondes et que je ne veux même pas connaître. Je regarde Diane.

— Je n'ai plus de questions.

Je veux sortir d'ici, ils n'ont pas le droit de m'enlever ma joie.

Pendant que Francis se réveille, nous gardons le silence. Je fixe le sol, je rumine ma colère comme un enfant. Diane se lève pour aller embrasser Francis sur la joue, l'aidant ainsi à se réveiller encore plus vite. La tendresse de ce geste m'apaise. Je les regarde.

— Ils étaient directs aujourd'hui, nos amis The Transformers!

— Dis-toi bien, Marie Lise, que s'ils sont ainsi, c'est qu'il y a une raison. Je ne sais pas laquelle, mais il y a une raison.

Je soupire et décide en mon for intérieur de faire fi de leur information et de poursuivre ma vie dans le moment présent. En ce moment présent, je suis en amour avec Serge, c'est ce que vit mon cœur. Il en est ainsi. Je communique à Diane mon attitude et je quitte la maison.

Dehors, passant près d'une poubelle, je jette la cassette.

Mon corps flotte, tout doucement, au gré du mouvement de la mer. Un état profond de relaxation m'habite. Le golfe du Mexique est devenu un immense bain flottant. Je m'abandonne, je laisse mon corps être pris en charge par la mer. Je ressens le travail de son énergie me désintoxiquer de ma profonde fatigue. Je permets à cet élément de la nature d'absorber mes toxines, de régénérer mon système nerveux. Puis, des profondeurs de cet état de détente, j'entends une voix interne, je laisse son message imprégner ma conscience :

— Tu résistes, depuis quelques années, à une rencontre intime avec toi-même. Cette rencontre t'ouvrirait les portes de dimensions encore inconnues de ta psyché. Tant que tu ne te donneras pas un temps pour créer cette rencontre, tu n'arriveras pas à te libérer de certaines limites qui empêchent la transparence de ta personnalité à ton être, à ton âme.

Ce message entendu, je tente de me relever, péniblement; je me sens touchée directement au cœur. Mes pieds cherchent le fond pour m'ancrer. Émue par l'amour et la douceur de ce message, je laisse les larmes couler. Sa vérité imprègne toutes les cellules de mon corps. Et mon cœur reconnaît la voix, c'est la voix de mon être.

Je regarde autour de moi. Il n'y a que quelques pêcheurs au loin, leurs silhouettes se détachent telles des ombres chinoises sur la toile de fond verte, jaune et lilas du coucher de soleil. Mon regard est différent, tout prend un sens. Un sentiment de paix m'habite, il remplace le vide que je ressentais depuis quelques mois. Je me sens une avec tout ce qui m'entoure, je me sens une avec moi-même. Soudainement, quelque chose en moi semble réagir à mon ouverture.

— Fais attention, tu vas devenir folle. Si tu dépasses ces limites, tu ne te reconnaîtras plus; c'est très dangereux, tu ne pourras plus revenir et faire ce que tu fais; et tes associées? et ta famille? et Serge? tu n'es pas pour changer ta vie encore une fois!

La voix de mon ego s'impose, toutes les fibres de mon corps s'en ressentent. J'ai peur. Je me sens brusquement angoissée; et si cette voix avait raison? n'ai-je pas déjà dépassé des limites internes avec le processus de médiumnité? qu'est-ce qu'il me faut encore vivre? Il fait déjà noir, le soleil semble s'être couché trop rapidement. Je regarde ma peau, parcheminée par l'immersion prolongée dans l'eau salée. J'ai froid, je me sens seule, mes pensées se bousculent dans ma tête. Que faire? Qui suis-je vraiment? Où vais-je?

— N'aie pas peur, n'aie pas peur de ta folie.

La voix de mon être continue de se faire entendre.

— La folie n'est qu'une illusion de ton ego, un mirage.

Je me sens un peu rassurée. Je marche tranquillement vers la maison, je me concentre sur le mouvement de mes pieds dans le sable, je regarde les milliers de petits coquillages qui jonchent la plage de Sanibel. En dépit des faits, je suis loin de me sentir en vacances. Je viens de sortir de la course folle de la sortie du livre sur l'antigymnastique et sa promotion à travers le Québec. Je me sens comme un volcan sur le point d'entrer en éruption : mes émotions, mon esprit sont épuisés; je n'arrive pas vraiment â me reposer; des pensées de toutes sortes m'envahissent, à propos de ma vie, de mon corps et de moi-même. Elles ne sont pas très gaies, elles sont sournoises, corrosives, et elles s'amusent à obstruer la vision lucide de ma vie. Il y a, en plus, le vide, ce sentiment de vide qui me trouve tous les matins au réveil, le vide après la création du livre.

Je m'arrête de marcher, je regarde l'obscurité devant moi, mes yeux de myope n'y voient plus rien. Telle est l'impression que je ressens depuis des mois; je suis aux confins de mon existence et je ne vois plus rien. Je poursuis ma marche en silence, je pense que mes méditations aussi sont vides, il n'y a rien à faire. Faire... faire, j'en ai beaucoup fait depuis trois mois, depuis deux ans, depuis dix ans... faire... faire. Un fossé s'est créé entre moi et mon être. Je suis peut-être ici pour constater cela. La voix en moi a raison, je résiste. J'ai l'intuition, non sans que cela ne soulève des craintes, que je suis à côté de ma voie réelle, que je m'amuse à me fuir, à me perdre, que j'ai peur de me laisser vraiment guider vers... Mais quelle est ma voie? quelle est vraiment ma voie?

J'entre dans la maison. Serge est à préparer le souper, il écoute du reggae à tue-tête. Nous sommes dans deux mondes différents en ce moment et depuis un certain temps. Lui, il est vraiment en vacances et moi je n'y arrive pas. Je baisse un peu la musique car je ne veux pas perdre le contact avec ma voix intérieure et ce mouvement d'introspection. Je me réfugie sur la véranda grillagée contre les moustiques de la Floride. Le temps est soudainement très chargé : un orage se prépare au loin. Je frissonne, je connais de réputation les orages de Floride du mois de juillet; leur intensité me fait peur comme si la foudre pouvait me tomber sur la tête.

— Le souper est prêt, me lance Serge. La voix de Bob Marley a fait place à du Mozart, mon système nerveux s'en porte mieux.

— Tu as l'air songeur.

— Je me sens en contact intime avec moi-même, enfin! J'attendais ceci depuis un bon moment. Je sens que je suis en train de comprendre quelque chose de moi, de ma vie, mais je ne sais pas quoi. C'est étrange, cela m'est arrivé tantôt quand je faisais la planche dans la mer. J'ai entendu une voix ou plutôt je devrais dire que j'ai reconnu une voix.

— Ma chérie qui entend des voix!

Le ton est sarcastique.

— Arrête! tu sais très bien ce que je veux dire.

— Enfin! tu me tiendras au courant! On ne sait jamais ce que cette voix pourrait te dire... dire... dire.

— Oh! arrête de te moquer de moi!

— Je ne me moque pas de toi, je suis très sérieux, ma chérie.

Je souris tristement et regarde Serge. Il a parfois le don de tourner en farce tout ce qui touche un certain niveau d'intimité, comme s'il avait peur. Son doux sarcasme cache son malaise. Je le sais. Quelquefois je trouve cela drôle, d'autres fois ce n'est pas toujours approprié, comme ce soir.

Un puissant coup de tonnerre nous fait sursauter. J'en ai le cœur qui bat très fort.

— Serge, j'ai envie de me retirer seule sur la véranda et de continuer d'écouter ces voix qui me parlent tant. En contemplant le spectacle son et lumière de l'orage.

— Il y a un bon western à la télévision.

— Ce sera pour une autre vie.

La pluie, maintenant, coule sur le grillage de la véranda. Le spectacle est grandiose. Les éclairs déchirent le ciel d'un noir d'encre de Sanibel. Je ne peux m'empêcher de penser combien Dieu est grand; la nature est le pur reflet de sa grandeur. Quelle force, quel déchaînement, je ne voudrais pas être en mer en ce moment. Une pensée surgit en moi comme l'éclair.

«Où en es-tu avec Dieu dans ta vie?»

Bonne question! où en suis-je? Je vis le processus de médiumnité depuis deux ans comme une bonne petite fille, sans trop déranger personne, sans trop bousculer ma vie et les êtres autour de moi, dont Serge. Ma relation avec les Anges a passé de l'euphorie à l'état de grâce, et maintenant j'en suis à l'accueil. Je les tolère, je les respecte, je leur permets de me canaliser et je tente de maintenir ma vie sans que tout cela paraisse. J'observe mon processus de médiumnité, je l'examine. Maintenant que j'ai atteint l'état de transe profonde et que je n'ai plus conscience de rien, je laisse le directeur me renseigner sur le travail des Anges avec les humains. Je vois les résultats évidents de leur intervention, mais je me tiens loin de ces résultats, je ne veux surtout pas m'y associer; j'en suis presque gênée. Les Anges sont de plus en plus en demande : les gens de différentes villes veulent les recevoir, échanger avec eux en conférence, des groupes avec des organisateurs se constituent un peu partout en province. Cela m'étonne, je suis très surprise de leur popularité. J'accepte autant qu'il se peut de répondre à la demande, mais je résiste. À quoi résisté-je tant? J'ai l'impression d'être plus préoccupée par ce que le processus me fait vivre, à moi en tant qu'être humain, que par ce que les Anges transmettent. Je suis incapable d'écouter les enregistrements de leurs échanges avec le grand public. J'ai de la difficulté à écouter leur voix, à ressentir toute la vibration d'amour qui émane de mon canal.

Les Anges ne font pas seulement me canaliser mais, en plus, ils me demandent de pratiquer de la guérison spirituelle sur des gens venant les consulter! Ils disent à Monique et à Sylvie, mes directeurs de transe, qu'ils peuvent intervenir sur les corps subtils. Je n'en crois pas mes oreilles, je refuse. Ils me demandent de publier leurs enseignements-conférences. Quel éditeur accepterait de publier cela? Ils poussent, ils me forcent. Je tente de les ralentir. Je ne sais plus où j'en suis avec ce processus de médiumnité, et Serge, maintenant, qui a peur, de plus en plus peur, que je devienne connue en tant que médium. Il a peur pour lui-même et pour son monde, ses associés hommes d'affaires. Non seulement il y a séparation entre moi et mon être, il y a aussi séparation entre moi et les Anges. Je suis loin d'être unie. Je me sens à nouveau dans la noirceur.

Je m'allonge au sol pour donner à mon corps un peu de répit suite à toutes ces réflexions. Les éclairs ont cessé leur danse dans le ciel. La nuit est noire. Je me mets à l'écoute de mon corps et de mon être, sachant qu'ils savent, eux, où est ma voie. Je pleure ma noirceur, je l'accueille. Je me sens à la fois si jeune et si vieille, si petite et si grande. Je prie ma voix intérieure de me guider, je prie Dieu de m'éclairer, je prie les Anges de m'aider à me retrouver. Je ressens un tel appel intérieur à m'unir à... une telle déchirure, que je hurlerais de tout mon cœur. J'entends, dans la nuit, les ronflements de Serge. C'est le sommeil de l'innocence. Une question surgit soudain de mon corps, de mes entrailles :

«Comment ai-je pu me perdre?»

Tu repars encore?

Ma mère me regarde avec toute l'intensité de ses yeux bleus. Cela fait un mois et demi que je suis revenue de Sanibel et je repars «encore».

— Oui, j'ai encore besoin d'un temps de solitude, d'introspection. J'ai besoin d'être seule, loin du Centre, des clients et clientes, loin de Serge. Seule, j'ai besoin de méditer, de marcher dans la nature, d'être avec moi-même.

Pendant que je cherche à trouver d'autres synonymes pour lui expliquer, je vois dans ses yeux qu'elle ne comprend pas; pour elle, j'ai tout pour être comblée : un nouveau centre, le succès de mon dernier livre, de nouvelles associées, des émissions de télévision, la célébrité, la réussite sociale, la prospérité, et je lui dis que je veux me retirer pour méditer et penser à ma vie. Elle ne comprend pas.

— Ça ne va pas avec Serge.

La «sorcière» a deviné une des sources de mon mal-être. Comment lui expliquer que je ressens un malaise de plus en plus grand, un fossé qui se creuse entre Serge et moi? C'est très subtil, et très présent, mais aussi le mal est à l'âme, tout simplement.

— Ce n'est pas tout à fait cela, j'ai juste besoin d'être seule.

J'aimerais lui dire que c'est plutôt avec moi que ça ne va pas. J'ai peur de l'inquiéter, car, pour elle, j'ai bâti un édifice de réussite sociale, et s'il fallait que je l'ébranle...

— Oui, je comprends, tu es fatiguée. De toute façon j'ai toujours su que ce n'était pas tout à fait un gars pour toi.

La voilà repartie! J'ai trente-huit ans et ma mère me tient toujours le même discours : ils ne sont jamais assez bons pour moi. C'est incroyable.

— Je te le dis, crois ta mère, je ne me suis jamais trompée jusqu'ici, n'est-ce pas?

Que répondre à cela?

— Peu importe, maman. Pour toi, il n'y aura jamais d'homme assez parfait pour ta fille.

— Mais non! s'écrie ma mère, et la voilà repartie de nouveau.

— Tu pars pour combien de temps?

— Juste une semaine.

Je pense qu'une semaine, pour moi, c'est comme un mois. Je suis très privilégiée d'avoir une perception du temps aussi primitive. C'est économique.

— Est-ce que tu vas faire des «affaires» là bas?

— Tu veux dire de la médiumnité? Non, maman, je te l'ai dit, je vais réfléchir à ma vie.

J'ajoute, mi-sérieuse, mi-rieuse : «Et fais attention aux résultats». Ma mère scrute une dernière fois mon âme de son regard.

— Fais attention à toi.

Je regarde l'heure : j'ai tout juste le temps de passer aux

éditions Québec/Amérique avant que la maison ne ferme ses portes pour le week-end. Je dois y chercher des caisses de livres pour le Centre et apporter quelques exemplaires à La Catalina.

Arrivée aux Éditions je remarque, non sans que mon ego en soit choqué, que mon nouveau livre sur l'antigymnastique n'est pas sur le présentoir des nouvelles parutions. Je m'en informe.

— Nous n'avons pas eu le temps de préparer la rentrée de septembre. Cela fait juste une semaine que nous venons de rouvrir nos portes depuis le congé de cet été.

Pendant que Julie, la réceptionniste, fait de son mieux pour calmer mon ego, je découvre un livre sur le présentoir, intitulé *La Guérison spirituelle,* de Alan Young. Je consulte l'endos pour y découvrir qu'Alan Young était un avocat anglais célèbre et que pour une raison non expliquée en couverture, il s'est consacré à la guérison spirituelle. C'est une traduction de l'américain; Serge Mongeau l'a fait traduire, et il appartient à la même collection Santé que mon ouvrage.

— Quand ce livre est-il sorti?

Un peu gênée, la réceptionniste m'informe qu'il vient de sortir.

— Je trouve bizarre qu'une traduction soit sur le présentoir et que mon livre, qui est sorti en mai, n'y soit pas encore.

Contrariée, je prends le livre et l'achète.

Marie France, la propriétaire de La Catalina, m'accueille à bras ouverts. Tout en me conduisant à ma chambre, nous calculons ensemble que j'en suis à ma neuvième visite dans son auberge depuis son ouverture il y a deux ans. Elle me réserve, si elle le peut, toujours la même chambre, la 25, intitulée en mon nom par Maria, la femme de ménage, la Casa del Amor. J'y crée mon atmosphère, j'y installe mes vibrations, ma bougie, mon encens, je déplace les meubles pour pouvoir contempler la mer de mon lit. Je suis prête à mon isolement, mon refuge est prêt, je n'ai plus qu'à me laisser couler en moi-même et me rendre à la source de ma résistance, à la source de mon mal d'être.

Qu'elle est cette séparation en moi-même? A quoi résisté-je tant? Je m'installe en position de méditation, je me laisse aller dans un état altéré de conscience. J'écoute mes voix intérieures, elles me parlent : «Cesse de te battre contre toi-même, cesse de résister à l'amour, aime-toi totalement, tu n'as rien à prouver, tu n'as qu'à Être». Les sanglots montent dans ma méditation, j'ai mal de mal m'aimer, j'ai très mal, je n'en peux plus de me battre, je n'en peux plus d'en faire, encore en faire; quand vais-je m'arrêter? oui, quand vais-je m'arrêter? Ces larmes sont douces à mon âme. Puis, le mouvement interne se poursuivant, les sanglots reprennent de plus belle. Je ressens un aspect de moi qui crie de douleur, la douleur d'être à côté de moi-même, la douleur d'être à côté de ma voie, la douleur de savoir que je ne suis pas qui je suis. Quand aurai-je le courage d'Être?

Soudainement, je vois combien il est facile de me fuir dans tout! «À quand le prochain livre? Quand vas-tu canaliser l'archange? Combien de transes fais-tu par semaine?» Même dans le processus de médiumnité, il est facile de me fuir, de mettre ce cheminement spirituel du côté du faire et de passer à côté de l'essentiel qu'est l'amour. Ce processus extraordinaire qu'est la canalisation peut même être récupéré par mon ego, ma personnalité — comme toute voie spirituelle non intégrée. La vigilance! la vigilance est de rigueur car le danger est constamment là. J'ai l'impression de marcher sur le fil d'un rasoir.

Le mouvement de méditation m'amène maintenant à me voir clairement, à me situer dans ma vie. Une lucidité prend place, je comprends au plus profond de moi que je ne peux plus poursuivre, à être ainsi séparée. Je ne peux poursuivre mon évolution en toute honnêteté sans consacrer plus de temps à mon essence, à qui je suis. J'ai à me choisir et à cesser de répondre aux multiples attentes que je me suis créées par différentes structures internes, structures extériorisées en des excroissances de ma personnalité.

«Oui, mais m'abandonner à moi-même, est-ce que cela veut dire cesser de résister aux Anges?» Je questionne mon être profond.

«Tu résistes à être le canal de cette énergie d'amour, tu crois ne pas mériter ceci, tu résistes à canaliser tant d'amour, à ressentir tant d'amour, à te laisser guider par tant d'amour. Tu ne t'aimes pas encore assez pour permettre ceci; aime-toi, Marie Lise, aime-toi.»

Je vois combien il n'a pas été facile pour moi, depuis deux ans, de canaliser les Anges. Combien de fois ai-je cru que mon corps allait éclater sous l'effet de leur amour? Combien de fois me suis-je jugée de ne pas être amour comme ils le sont? Combien de fois ai-je trouvé difficile, après avoir côtoyé les vibrations élevées de l'au-delà, de réintégrer ma condition humaine, de revenir sur la terre et d'y constater que les gens qui y habitent, vivent avec leurs limites d'amour? et combien de fois me suis-je attendue à retrouver l'amour inconditionnel ici bas, pour ne rencontrer que jugements, haine et mesquinerie! J'ai passé un temps fou, depuis deux ans, à demander des preuves, des preuves que ce que je vivais n'était pas simplement une hallucination. Malgré l'aide des Transformers, en dépit de ce que les gens me communiquaient de leur rencontre avec les Anges, je n'ai cessé de demander preuve par-dessus preuve — et j'en ai reçu — mais malgré cela je continuais à demander des preuves. Je suis fatiguée, cela n'a pas de fin, et je le vois maintenant. Vais-je ainsi continuer à jouer le jeu de mon ego, car à la lumière de ma méditation, dans cet espace d'intimité avec mon être, je vois clairement le jeu de mon ego. M'amuser à être révoltée, à penser que je suis folle, à résister, et tout ceci pour éviter de me poser les vraies questions. Est-ce que je veux poursuivre cette aventure? Est-ce que j'accepte d'être menée par une énergie supérieure en moi, la kundalini, et le développement de mes capacités psychiques? Est-ce que j'accepte de perdre le contrôle et de m'abandonner à Dieu, au plus grand en moi? Est-ce que j'accepte de reconnaître que je vis dans une grande insécurité et que j'ai besoin du contrôle pour me sécuriser?

«Est-ce que tu acceptes de mourir, de te fondre en moi?»

La voix de mon être retentit dans mon espace de méditation. Je contemple le précipice qui est devant moi. Cette image me sort de mon état de méditation; j'en ai assez, j'ai besoin d'une pause, j'ai peur...

Je me lève pour contempler, de mon balcon, le paysage dominicain du mois de septembre. Mon regard tombe sur un livre qui est sur ma table de chevet *La Guérison spirituelle*, de Alan Young. Je repense à la petite scène d'ego que j'ai fait à propos de ce livre aux éditions Québec/Amérique. Je feuillette l'ouvrage, je tombe sur un chapitre intitulé : «Les Anges guérisseurs». Mon cœur se met à battre plus fort pendant que je commence à lire :

«On trouve dans la Bible presque trois cents références à l'existence des anges...Dans l'ancien testament, il est souvent fait mention d'anges qui apparaissent à des femmes ou à des hommes pour leur livrer un message de la part de Dieu, les sauver de divers dangers, les réconforter ou les éclairer durant des périodes difficiles, ou dévoiler l'avenir à des prophètes... Mais de nos jours, plusieurs personnes ont vu ou voient des êtres angéliques et savent que ceux-ci existent réellement et ont pour mission de nous aider de diverses façons. Il y a des anges gardiens qui nous protègent et nous guident, et des anges guérisseurs qui aident à transmettre l'énergie de guérison à ceux qui leur en font la demande. Geoffrey Hodson [...] parle expressément des anges guérisseurs et souligne que ceux-ci remplissent *leur mission en grande partie, mais non en totalité, en utilisant ce pouvoir (flux d'énergie régénératrice et réparatrice), en rétablissant le fonctionnement des chakras et, à l'occasion, en changeant certaines substances dans les corps physiques, éthérique et supraphysique. Ils dirigent aussi un puissant rayon d'énergie régénératrice, vivifiante et purificatrice puisée dans leur aura et d'autres réserves vers les corps physiques, éthérique et astral tout particulièrement, mettant ainsi en place des conditions propices aux processus d'élimination et de guérison.*»

Je suis bouche bée, je referme le livre, je n'arrive pas à le croire. Ainsi, les Anges avaient raison, ils peuvent traiter les humains. Je ferme les yeux, la pièce est remplie de l'énergie des Anges, je ressens mon cœur déborder d'amour et de reconnaissance.

«Veux-tu encore d'autres preuves?» me dit ma voix intérieure.

Je suis dans la voiture luxueuse de mon amie Lise. Le silence règne entre les passagers du véhicule. Nous sommes toutes absorbées par nos pensées sur ce qui nous attend. La beauté du paysage automnal des Cantons de l'Est réussit quelquefois à nous faire pousser des exclamations de reconnaissance. Il est 7 heures du matin et je m'endors. Je regarde le petit sac de voyage que j'ai apporté avec moi et son contenu : une robe de chambre, des bas de laine et une serviette de bain blanche. Ceci peut sembler bien banal, mais en ce matin du mois de septembre 1990, la robe de chambre, les bas de laine et la serviette me font vivre une forme d'appréhension. Je sais que je m'endors, simplement parce que je n'ai pas envie de me réveiller à l'idée de ce qui est à venir. Les paroles de Serge me poursuivent encore :

— Bonne chance, les filles! et, sur un ton de taquinerie, êtes-vous certaines de vouloir y aller? À voir vos têtes, je me permets de vous poser cette question.

Nous avons répondu en lançant quelques bravades et nous voilà dans l'auto, en route vers les guérisseurs philippins. Je regarde Lise et Monique, mes complices, et je nous trouve courageuses. Malgré les sensations désagréables que je ressens au plexus, signes précurseurs de la peur, j'ai l'impression étrange que je vais assister à une grande fête, à mes propres noces. Je tente de ne pas analyser cette intuition qui prend forme petit à petit en moi.

Comme à la veille d'un événement important, je me permets de faire le point sur le mois que je viens de vivre. Le retour de la République Dominicaine fut le plus difficile que j'ai vécu à ce jour. La vague montréalaise m'a frappée de plein fouet. Ma plus grande surprise a été de constater la distance entre le mouvement d'ouverture de conscience que j'ai vécu pendant ma retraite dominicaine et ma réalité montréalaise. Serge, avec toute sa sensibilité, a été le premier à ressentir qu'il s'était passé quelque chose là-bas :

— As-tu rencontré quelqu'un à La Catalina?

— Oui Serge, je me suis rencontrée. J'ai rencontré mon Être profond. Je n'ai plus à douter de ce que j'ai à accomplir avec les Anges. J'ai beaucoup médité sur ma vie, sur mon alignement de vie. Je me suis retrouvée.

Le fossé déjà existant entre nos évolutions spirituelles respectives se creuse. Mes associées sont au beau milieu d'une guerre froide. Le Centre semble assis sur de la dynamite. Je me sens réellement déphasée de la réalité que j'ai quittée, comme si j'avais avancé dans le temps, en République, et que le reste ne suit pas.

Qu'est-ce qui est réel? La réalité intérieure que je vis ou la réalité que j'ai créée, qui était là avant mon départ, et que je retrouve. Je me pose la question et je connais déjà la réponse : les deux. Mais oui, les deux sont là, distinctes et déphasées. J'ai deux choix : soit fermer la porte qui s'est ouverte en moi, soit fuir la réalité que je retrouve à Montréal. Tel est le vrai test : maintenir la porte de conscience ouverte, harmoniser le mouvement de conscience intérieure, ma recherche de transparence et d'intégrité à ce que je vis, et d'intégrer aussi à ma réalité quotidienne mon ouverture à ma divinité intérieure.

Le sentiment de dépression qui m'attendait au réveil depuis des mois m'a quitté pour faire place à un sentiment de plénitude, de certitude sur ma voie. Les doutes se sont aussi dissipés pour faire place à de l'amour, à la foi que je suis totalement guidée. Une prière m'habite constamment, tel un mantra; j'entends en moi cette phrase qui se répète : «Je consacre ma vie à Dieu». Cette forme de prière est née, non pas d'un désir ni de ma volonté, mais bien d'un sentiment profond de grâce et d'abandon. Ces mots et leur vibration me dépassent; je ne suis pas certaine de tous les comprendre, en ce sens qu'ils ne s'appliquent pas à ce que j'ai déjà vécu. Cet état est nouveau, cet état est inconnu et, en même temps, je le reconnais. Ma vie est en voie de se transformer encore plus. Je ne sais pas comment, mais je sais que je sais.

La voix de Lise me tire de mes réflexions.

— Qui passe en premier?

Je la regarde, un peu surprise.

— Sommes-nous déjà arrivées?

Je me rends compte que je ne sais absolument pas à quoi m'attendre. J'ai refusé de me faire raconter n'importe quoi sur la façon dont les guérisseurs philippins traitent leurs patients. Seuls les livres de Jeannine Fontaine, lus il y a quelques années, sont ma source de renseignements.

Notre rendez-vous est fixé à 9 heures, et il est 9 heures moins dix. Nous sommes dans le stationnement à attendre que j'ouvre la porte. Je regarde Lise, nos yeux bleus se rencontrent. Je sais qu'elle est une guérisseuse-née et qu'elle hésite à utiliser ses dons. Elle est aussi un écrivain-née, et elle hésite à écrire. Elle fait tout dans son existence sauf guérir et écrire. Disperser ainsi son énergie la rend malade; elle vit constamment des malaises de fatigue, elle n'utilise pas son flux d'énergie vitale à bon escient. Elle a la tête dure, elle résiste elle aussi. C'est étrange comme nous nous ressemblons, sauf que j'ai maintenant cessé de résister.

— Je suis prête, dis-je

Comme nous avançons vers le bâtiment, j'ai toujours cette sensation étrange que je m'avance vers l'autel nuptial. C'est tout juste si je ne compte pas mes pas. Je ne peux m'empêcher d'en rire.

Une femme nous accueille et nous fait pénétrer dans un grand hall. Immédiatement, je suis envahie par une énergie qui me happe et m'étourdit. Spontanément, je m'assois, je réalise que mon corps ou mes corps, et mon cerveau, ont capté ce que mes yeux physiques voient maintenant, la maladie. J'en ai les jambes molles, et pourtant j'ai déjà côtoyé cette forme d'énergie. Qu'est-ce qui est différent? Est-ce de voir ces gens enveloppés dans des pansements tachés de sang? Est-ce l'odeur, un mélange d'huile camphrée et de baume de Tigre? L'énergie est tellement lourde dans la pièce que j'ai de la difficulté à me mouvoir. Des gens me sourient, me saluent. Je suis tellement abasourdie que je ne réalise pas qu'ils me reconnaissent. Puis, soudainement, tous ces visages s'épanouissent et leur regard se dirige vers un homme jeune. Quelqu'un m'avertit que c'est le temps de la prière. Nous nous mettons en cercle, je prends solidement la main de Lise; Jimmy, l'assistant du guérisseur philippin, me prend l'autre. Je me sens bien ancrée, malgré la forte sensation d'étourdissement. La prière se fait, en premier en philippin, puis en anglais, traduite à la toute fin en français. Je remarque que le jeune homme tant regardé par les gens demande l'aide de Dieu, puis Sa protection pour tous les gens ici présents ainsi que pour sa famille et celle de Jimmy. Je suis étonnée de la forme que prend cette prière et de l'énergie qui s'en dégage. Le tout se termine par le Notre Père. Je ne suis pas à l'aise d'être là à prier en groupe, j'ai l'impression d'être sur une autre planète.

Les traitements commenceront dans quelques minutes. Je me rassois de nouveau et tente de méditer. Dès que je ferme les yeux, je perçois le nuage d'énergie de maladie qui m'avait tant happée à mon arrivée. Je me concentre de plus belle pour me protéger. La couleur de l'énergie dans ce grand hall est grise; je m'entoure de lumière dorée. Je ressens, à part mes propres émotions, beaucoup d'énergie émotionnelle qui circule dans l'air : de la colère, du déses-poir, de la tristesse, de la culpabilité. Les traitements doivent être très puissants pour permettre à toutes ces émotions d'être ainsi en circulation. J'ouvre les yeux de nouveau, pour mieux voir avec mes yeux physiques si mes perceptions, reçues par mes yeux intérieurs, sont bien réelles. Je regarde ces gens, tous vêtus de leur robe de chambre. Qui sont-ils? que font-ils là? Ils ont l'air désemparé, assis avec leurs douleurs à la fois physiques et psychiques. Ils paraissent dépassés par les événements, perdus, en attente de leurs prochains traitements. Un homme vient s'asseoir à côté de moi, il me salue, me dit avoir lu mes livres et me remercie de ce que je fais sur terre.

— C'est très puissant, vous savez, très puissant, dit-il avec emphase.

— Regardez ces gens : il les pointe de son doigt. Ils n'ont jamais été traités ainsi, des cancers, du diabète, de l'emphysème. Ils m'ont opéré aux yeux... et il commence à me décrire son opération. Je l'arrête, et lui fait comprendre que je ne veux pas savoir, je ne veux pas être influencée avant de recevoir mon traitement. Lise arrive, vêtue d'une robe de chambre verte, pantoufles assorties aux pieds, directement de chez Holt & Renfrew. Pendant que je pense : chère Lise, coquette même chez les guérisseurs philippins, j'observe mon voisin qui, malgré son opération à un œil, la dévore de l'autre. Je suis rassurée de constater que nous sommes bien sur la planète terre.

— Je vois que votre opération a réussi, mon cher monsieur.

Il est dix heures moins dix, je suis dans une salle d'attente improvisée, j'attends mon tour. Ici, l'énergie est plus douce, je ne ressens plus la puissance de la maladie. À mes côtés médite une amie, elle est la deuxième à passer. Je tente de méditer, mon cœur palpite même si l'énergie du lieu incite à la méditation. Lisant mes pensées, elle se retourne vers moi et me dit :

— N'aie pas peur; tu vas voir, ce n'est pas douloureux.

Elle en est à son deuxième traitement. Je regarde la feuille qui repose sur mes genoux et je constate que je n'ai pas vraiment besoin de traitement; à la question «Que désirez-vous comme traitement?» J'écris «S.V.P. équilibrez mes chakras». J'entends une voix intérieure me dire : «C'est trop facile, Marie Lise, de quoi as-tu peur?»

Je reprends le crayon et j'écris : problèmes circulatoires et nettoyez ce qui a à être nettoyé. L'amie entre dans la salle de traitement; je l'entends rire puis, soudainement, crier, hurler de douleur. Mon cœur fait des bonds, mes jambes deviennent molles, l'adrénaline circule à bon train dans mon sang, j'ai envie de fuir. Les hurlements font place aux rires, je ne comprends plus rien, je décide de méditer pour me recentrer. Toutes sortes de pensées déferlent dans ma tête. J'ai envie de rayer ce que je viens d'écrire, je ne veux plus être nettoyée par eux. J'ai peur.

J'entends mon nom, c'est mon tour.

L'énergie de la pièce est lumineuse. Jimmy me présente à Gregory, le guérisseur, le jeune homme qui priait tantôt à haute voix. Il me regarde droit dans les yeux et me dit, en anglais : «Je sais que tu es médium et que tu canalises des entités de très haut niveau». Je lui réponds que je canalise des Anges.

— J'aime bien les Anges, il y en a plein dans la pièce.

Instinctivement, je regarde au plafond, ce qui le fait rire. Il poursuit, toujours en anglais : «Marie, tu dois te protéger. Un médium doit établir beaucoup de protection autour de lui; tu ne te protèges pas assez. Jimmy t'indiquera comment. Tu captes trop, tu n'élimines pas assez. Tu dois faire de l'exercice et transpirer pour éliminer, ceci aidera tes problèmes circulatoires. Je t'invite à venir dans mon pays; tu peux venir m'assister dans mes traitements lorsque tu le désireras. Tu pourrais apprendre des choses intéressantes pour toi, et qui te serviraient. De toute façon, Marie, nous faisons le même travail, toi et moi. Maintenant, tu peux t'allonger, nous allons nettoyer ce qu'il y a à nettoyer. Lorsque j'aurai fini le traitement, j'équilibrerai tes chakras.

J'aimerais que la conversation se poursuive. Je n'ai pas envie de m'allonger, malgré son sourire, la douceur émanant de son regard et l'énergie élevée de la pièce. Je repousserais encore le moment du traitement.

— Tu as peur.

— Je me sens surtout impressionnée, et j'ai un peu peur.

Jimmy m'explique qu'il va déposer sur moi une serviette blanche, ce qui permet à Gregory de voir, comme par rayons X, les blocages.

— Nous allons commencer par le plexus; tu y as capté quelque chose qui ne t'appartient pas. Garde tes yeux ouverts, n'aie pas peur.

Gregory se met en état de prière. Je me sens mue immédiatement par une énergie très puissante, je me sens devenir une avec elle, une avec la Source. Je me sens aspirée, pendant que je sens Gregory me pénétrer avec ses doigts; tels des instruments chirurgicaux, ils ouvrent la chair de mon abdomen. Je me sens de plus en plus aspirée par l'énergie qui me pénètre; une grande chaleur s'installe tout le long de ma colonne vertébrale, l'énergie est tellement forte, je me sens m'élever, et instinctivement je commence à fermer les yeux.

— Marie, garde les yeux ouverts; reste avec nous, regarde-moi travailler. Ne pars pas, reste ici.

De nouveau, je regarde ses doigts me pénétrer de plus en plus profond au niveau du plexus. Comme des instruments, ils me fouillent les entrailles, ma chair est ouverte comme si les molécules de ma peau étaient devenues fluides, ses doigts sont entrés à la profondeur des phalanges. Gregory prie à haute voix. Il extrait de mon plexus un mince caillot de sang. Je n'ai eu aucune douleur. Je suis toujours dans un état élevé de vibrations. À ma surprise, je me sens emplie d'une énergie indescriptible, qui n'est pas mienne et qui ne cesse de m'élever. Je vois ces mains se diriger vers mon cœur, je voudrais lui dire : «Non! pas mon cœur», que déjà j'entends les prières qu'il récite et je vois ses doigts qui font le même genre de travail, comme s'ils traçaient quelque chose sur la peau de ma cage thoracique, près de la région du cœur, pour se préparer à entrer dans mon thorax. Ils entrent cette fois-ci moins en profondeur puis, comme des instruments, ils fouillent dans cette région, ils ressortent quelque chose ressemblant à un paquet de poils de chat blancs. Je n'en crois pas mes yeux, et pourtant, je vois bien ce que je vois. Étrangement, Gregory m'a pénétrée exactement où souvent je ressentais une douleur.

— Gregory, tu ne me feras pas croire que tu as trouvé ceci dans mon cœur.

— Tu sais, Marie, que j'ai le pouvoir de matérialiser les choses. Il nous reste à nettoyer la gorge.

Sans que je n'aie eu le temps de dire quoi que ce soit, toujours avec les prières, je ressens ses doigts me pénétrer la gorge; j'étouffe, il me demande de me détendre, de détendre ma respiration. Il en retire un gros morceau blanc, comme de la ouate détrempée.

— Voilà ce qui bloquait... tu avais, dans le plexus et la gorge, capté du matériel qui ne t'appartient pas. Le blocage au niveau du cœur t'appartenait.

Je m'empresse de lui dire que je ne suis pas folle et que je sais que je n'avais pas au niveau de la gorge ce morceau de ouate. Je lui pose alors la question, le regardant droit dans les yeux :

— Si je comprends bien, tu as matérialisé mes blocages?

Il me confirme que «oui», par son regard.

— Assieds-toi, je vais équilibrer tes chakras, car j'ai fini les traitements sur toi, tu n'as pas à revenir.

En m'assoyant, je constate que ma serviette blanche est tachée de sang, enfin, de ce qui ressemble à du sang. Je suis dans un état de très grande vulnérabilité, je me sens toujours une avec l'énergie de lumière, de douceur et d'amour qui m'habite depuis le début du traitement. Je réalise que je suis dans un état total d'illumination. Tout est blanc, tout est illuminé, ma conscience baigne dans la lumière, ma conscience respire la lumière.

Gregory me serre maintenant dans ses bras, je suis toujours dans cet état de grâce, je pleure tout doucement, je le remercie, il me remercie et m'invite encore une fois à venir le visiter dans son pays.

— Continue ton bon travail, Marie.

Je n'ai pas envie de partir. Je voudrais rester là, je me sens tellement bien en présence du guérisseur, je voudrais que ma vie ne soit que ceci. Je sors de la pièce, je flotte, je m'assois pour pleurer tout doucement, je me sens à la fois si petite et si grande, je n'ai plus de visage, je n'ai plus d'ego, je suis, tout simplement.

Assise seule dans la salle d'attente de mon coiffeur, je réfléchis à ce pourquoi je suis ici : redonner un mouvement à ma longue chevelure. Je n'ai pas vraiment le goût de me faire jouer dans les cheveux, je suis encore absorbée par ce que j'ai vécu hier chez les guérisseurs philippins. J'entends subitement une voix en moi me dire : «Coupe tes cheveux, libère-toi, détache-toi». Un peu surprise, je laisse la voix résonner en moi; elle continue : «Là où tu es attachée, détache-toi!... Fais-moi confiance». Hum! couper mes cheveux... y suis-je si attachée? Je regarde en moi, la réponse me vient très vite, n'ayant pas à regarder bien loin : j'y suis très attachée.

Je regarde maintenant mes cheveux tomber sur le plancher, j'entends le bruit des ciseaux qui, allègrement, font leur travail; mon coiffeur est silencieux. Mon cœur est serré : quel plongeon! Depuis vingt-quatre heures, je ne fais que plonger dans un précipice. Je ressens le besoin de faire le point. De toute ma vie, je n'ai reçu pareil traitement. Je suis profondément troublée par le court moment d'illumination que j'ai vécu et ce qui a suivi. Je n'arrive pas à expliquer ce qui s'est passé, je sais que quelque chose en moi a changé.

Je ne suis plus la même. Gregory a visé juste en opérant mon cœur. Je me souviens qu'un jour, un maître en Rebirth m'avait dit : «Il y a une porte dans ton cœur que tu gardes fermée et où personne ne peut pénétrer, si tu veux vraiment guérir, tu auras un jour à faire le choix d'ouvrir cette porte et d'y laisser pénétrer l'amour». Gregory m'a aidée à ouvrir cette porte.

Je me ferme les yeux, j'abandonne ma tête dans les différentes positions demandées par mon coiffeur, je revois la scène de mon retour à la maison hier. Nous avons fait, toutes les trois, l'erreur de revenir trop vite dans nos domiciles respectifs. On nous avait pourtant suggéré de prendre le temps d'intégrer. Nous avons minimisé l'impact du traitement sur notre psyché et sur notre corps physique. Le retour fut brutal.

Lise me laisse descendre à l'angle du boulevard René-Lévesque et de la rue Montcalm. J'ai l'impression de revenir d'une autre planète et d'être déposée sur terre en pleine heure de pointe. J'entre dans la maison, il n'y a que mes chats. Je me sens plus protégée à l'intérieur que dehors, ma conscience est élargie, je le sens car la perception que j'ai de mon domicile est différente, comme si tout avait un autre sens. Ma réaction me fait me rendre compte que ce que je viens de vivre a été très puissant et que je n'aurais pas dû revenir si vite chez moi. Je décide de prendre un bain. J'entends la porte ouvrir.

— C'est moi, ma chérie.

L'odeur de la cigarette et le stress qui émane de Serge m'agressent au plus haut point. Je me réfugie dans mon bain. La serviette blanche tachée de ce qui ressemble à du sang traîne dans un coin de la salle de bains. Serge la prend, la regarde. Je lis sur son visage son étonnement et surtout son scepticisme. Le ton de ses questions est teinté de sarcasme. Je le sens mal. Je me sens mal. Non seulement je n'arrive pas à trouver les mots pour exprimer ce que j'ai vécu, mais son sarcasme me fait mal. Je me sens soudainement obligée de me justifier. Je refuse de le faire. J'étouffe, je n'ai pas envie de me battre... j'étouffe. Le bain, la maison, ma relation avec Serge, ma vie, tout semble tout à coup à l'étroit. Je n'arrive pas à dire, à expliquer ce qui s'est passé. Il ne peut pas comprendre, ou ne veut-il pas comprendre? Le langage de son corps me dit qu'il se sent menacé. Il étouffe lui aussi, sa respiration est saccadée, ses yeux sont légèrement hagards. Je me dis qu'il me faut sortir du bain, la pièce est trop petite pour nous deux.

Je me lève, Serge me regarde de façon encore plus bizarre, je comprends qu'il voit les marques rouges, les traces des opérations, inscrites sur mon corps. Il quitte subitement la pièce. Je me sens perdue, mais qu'est-ce qui se passe vraiment en ce moment? J'ai l'intuition que nos réactions sont exagérées, que nous sommes tous les deux mus par une énergie, par un mouvement. J'essaie pour ma part de me calmer, ma respiration est saccadée, je manque toujours d'air. Comment lui dire que je viens de vivre un moment d'illumination? que cette expérience renforce encore plus ma prière interne «Je me consacre à Dieu». Il va me croire folle...

Je m'enveloppe dans une serviette, je me rends au salon où il fume la troisième cigarette depuis son arrivée. Nous sommes chacun dans nos mondes à nous observer. Je commence à ressentir une profonde douleur au niveau de l'opération du cœur; un sentiment profond de séparation et d'abandon émane de cet endroit. J'observe ce qui se passe. Une pensée, qui semble être associée à cette sensation, me harcèle; j'essaie de la faire taire mais elle m'envahit de plus en plus, j'entends une partie de moi crier : «Encore une fois, je dois me fermer, je ne suis pas accueillie telle que je suis, je dois me fermer, je dois me protéger, je dois fermer mon cœur car je ne suis pas aimée telle que je suis».

La douleur est déchirante. Je suis devenue un volcan d'émotions, tout ce qui a été ouvert par le guérisseur veut se refermer. Mon cœur me fait tellement mal, j'ai tellement mal... la constriction prend place de plus en plus. C'est affreux d'observer le mouvement de fermeture, d'en être témoin sans pouvoir rien y faire, et cette pensée est comme une croyance qui fait son travail de destruction. Je me sens détruite, tout s'effondre; c'est d'une telle puissance que j'en suis désemparée, étourdie. Mon cœur s'est-il refermé pour se protéger?

Le volcan se met soudainement en éruption : une colère énorme surgit de toutes les fibres de mon corps, je me sens en danger, prête à me défendre, comme si Serge venait de m'attaquer, comme si Serge était sur le point de m'attaquer. Je suis aux aguets, prête à me battre, physiquement s'il le faut. Toute ma colère est dirigée contre lui. La haine qui me possède est terrible. Je lui en veux pour tout : son scepticisme, son manque d'ouverture, son sarcasme. Je lui en veux de m'avoir blessée. Les pensées se bousculent rapidement en moi. Pourquoi est-ce que j'ai à vivre ceci, encore une fois? Combien de fois dans ma vie j'ai accepté de me compromettre, de cacher qui je suis vraiment pour satisfaire l'autre? Combien de fois, j'ai choisi un homme qui ne respecte pas mes valeurs les plus fondamentales? Mais qu'est-ce que je fais là à jouer le jeu de l'amour? Est-ce que j'ai tant besoin d'être aimée que j'accepte n'importe quel compromis? Je ne suis plus capable de me mentir à moi-même.

Petit à petit je reviens à moi; Serge est là, totalement désemparé, sa cigarette entre les doigts. Il n'y est pour rien, il est ce qu'il est, telle est la réalité. Je comprends que Serge est le miroir de moi-même : sa fermeture à mon ouverture est ma fermeture à ma propre ouverture, sa peur des Anges est ma peur des Anges, et ainsi de suite. Cette prise de conscience est à la fois très douloureuse et aussi très rassurante, car pour la première fois de mon existence je ne me sens plus victime de l'autre mais bien plutôt de moi-même. Serge m'aime comme il est capable d'aimer, il n'est pas là dans ma vie pour me faire mal, me blesser, mais bien pour agir comme miroir de qui je suis.

Je me suis calmée maintenant, mais la prise de conscience n'arrête pas pour autant, toujours en silence je regarde Serge. J'ai mal dans mon cœur de voir dans ses yeux une non-reconnaissance de ma vraie nature et pourtant ce regard n'est-il pas celui que j'ai porté sur moi-même pendant des années? C'est ce qui est si douloureux. Le guérisseur philippin a réussi à ouvrir la porte fermée de mon cœur. Il m'est douloureux de vivre, de ressentir la douleur, la rage, tout ce qui est contenu là même où j'ai gardé mon cœur fermé.

«Marie Lise, peux-tu me regarder?»

La voix de Stéphane, mon coiffeur, me parvient de loin.

— Tu sembles complètement partie dans des réflexions existentielles... sais-tu que tu vas faire réagir beaucoup de gens avec ta coupe de cheveux?

— J'étais vraiment loin, Stéphane.

— Es-tu prête pour le moment de vérité?

Je trouve que sa question tombe dans le mille.

— Je suis prête depuis hier.

D'un geste théâtral, il ouvre les portes de bois qui cachent le miroir. Stéphane travaille sans miroir.

— Regarde-toi maintenant, c'est beau n'est-ce pas? Je ne t'ai pas vraiment fait de coupe...

Je ne l'entends plus. Je me regarde dans le miroir, un nouveau visage m'apparaît; je le reconnais, c'est le visage de Marie Lise aux cheveux courts. Je souris à cette image d'une façon incertaine. Je regarde le tas de cheveux, mes cheveux, sur le plancher, je suis prise d'un vertige, je viens de faire un plongeon dans le vide. J'ignorais que j'étais si attachée à l'image de la fille aux cheveux longs. Je sens l'ébranlement de mon ego.

Je remercie Stéphane et je sors dans la rue. Je me sens dénudée comme un nouveau né, vulnérable. Je cherche à savoir si je suis encore belle dans le regard des passants. Je sens mon ego qui essaie de reprendre le dessus, qui voudrait se sécuriser, qui recherche une identité. Depuis la veille, je suis entraînée par une forme d'énergie qui déstructure tout sur son passage, qui crée un mouvement de très grande vérité, de profonde lucidité. Je suis dans la lumière. Cette clarté m'indique une voie d'un attrait irrésistible malgré ma volonté, malgré mon ego, mon petit moi. Le chemin est là, tracé, devant moi. Une phrase des Transformers me revient en mémoire : «Regarde devant toi, il y a un phare qui éclaire ta route». Je regarde devant moi et je vois une lueur qui existait déjà, une lueur ravivée par l'action du guérisseur. En vingt-quatre heures, j'ai vécu une poussée de lumière, je suis entrée par la porte de mon cœur qui avait été fermée depuis très longtemps; je me suis coupé les cheveux, et quoi d'autre? Qu'est-ce qui est à venir? Je l'ignore. Le mouvement de cette illumination fait son chemin et je ne peux même pas m'y opposer, j'y suis totalement abandonnée.

Je suis à l'entrée d'une salle de conférence au Palais des congrès de Hull. J'accueille les gens qui viennent m'entendre parler d'autoguérison. Je les salue et leur donne la main. Je suis amusée de constater que personne ne me reconnaît, même si le livre sur l'antigymnastique, avec ma photo, est étalé sur une table. Je les entends parler de moi, j'entends leurs commentaires sur les ouvrages que j'ai publiés. Je ne suis pas reconnue... Je continue le jeu en ne me présentant pas. Je me teste, j'observe la réaction de mon ego. La surprise du début fait place à un malaise. Je trouve cela quasi inimaginable. Mon mental est en action, se peut-il que les gens ne me reconnaissent pas à ce point? Ils sont là à contempler la page couverture, totalement obnubilés par l'image, et ils ne me voient pas.

Quelqu'un s'adresse à moi en me demandant à quelle heure arrive Marie Lise Labonté. Je lui réponds qu'elle est arrivée et qu'elle est là, en direct.

— Je suis Marie Lise Labonté.

— Excusez-moi... je ne vous ai pas reconnue... vous avez changé... vos cheveux, n'est-ce pas?

Ah non! pas encore une autre... La colère monte en moi;

c'est la centième fois, depuis exactement une semaine, que quelqu'un me sort cette phrase. Je suis sur le point de craquer, je le sens. Au tout début, j'en étais amusée; mais à la longue, l'amusement a fait place à une irritation, à une forme d'intolérance et maintenant à de la colère. J'ai envie de leur crier : «Mais oui! je me suis fait couper les cheveux! et après? ce n'est pas la fin du monde!»

La semaine n'a été qu'une longue série de commentaires et de questions sur ce geste de ma part. J'ai vu des gens qui se sentaient trahis comme s'ils perdaient leur référence, d'autres, attristés comme si on leur avait enlevé quelque chose et d'autres simplement fâchés.

— Vous savez, madame, je suis encore la même.

Les mots me sont sortis de la bouche malgré moi, et cette chère dame n'a rien à voir avec mon exaspération. Vaut mieux que je me retire quelques minutes avant la conférence, pour me recentrer. Je sens mon ego en vive réaction.

Je cherche dans les corridors froids du Palais des congrès un lieu où je pourrais méditer. Je suis envahie de pensées négatives, je me sens vraiment mal. Je me niche dans un coin, j'ai froid, je suis soudainement si vulnérable, dépassée par ce dont je suis témoin. Une conversation avec mon amie Lise, qui vit dans le monde du show business, me revient en tête : «Tu n'aurais pas dû te couper les cheveux, ce n'est pas bon pour ton image, tu vas déstabiliser les gens». Je lui avais rétorqué, en boutade : «Je n'en ai rien à foutre, de mon image; tu parles comme si j'étais un produit de consommation. Si les gens sont si attachés à cette image, je suis très contente de les aider à s'en détacher. Je ne suis pas dans le monde du show business, Lise, ici c'est le monde de la santé». Et Lise terminait la conversation en me disant : «Tu as peut-être raison, je ne connais pas le monde dans lequel tu évolues, il est peut-être différent».

La réaction des gens me fait constater que Lise avait sans doute raison, les gens ne sont pas différents, les gens sont les gens. Non seulement je les déstabilise par ce geste inspiré par ma voix intérieure, je me déstabilise aussi. Je tente d'accueillir mon état de vulnérabilité : il y a une semaine jour pour jour que j'ai reçu le traitement du guérisseur et cet état ne me quitte pas; au contraire, il augmente. C'est vraiment pénible. Je vois bien que je ne peux me ressaisir pour donner la conférence, je décide donc de la donner dans cet état. Je me lève de mon nid froid pour me diriger vers la salle et plonger...

Je suis assise devant l'assistance. Par bonheur, j'ai emmené avec moi deux autres conférencières qui sont à partager leur processus d'autoguérison. Pendant qu'elles parlent de leur expérience et des outils utilisés : visualisation, antigymnastique, je me prépare intérieurement à ce que je veux transmettre. Comme j'aimerais commencer la conférence en leur disant : «J'ai vécu la semaine dernière une expérience de guérison qui a transformé mon cœur...»

Ou encore :

«La coupe de cheveux est simplement le résultat d'un mouvement intérieur relatif au dépouillement de ma personnalité. Ce nettoyage est venu à la suite d'une rencontre avec un guérisseur...»

Mais non, je ne peux pas le faire! Ils sont venus entendre parler d'autoguérison et je leur parlerais des guérisseurs philippins. Je n'ose pas. Ils sont venus entendre parler de se prendre en charge, de prendre en charge leur corps, leurs émotions, leurs pensées, et je leur parlerais de s'abandonner dans les mains de guérisseurs philippins, quand beaucoup les voient comme des charlatans. Je me sens tiraillée, je ressens un besoin urgent de transparence, de limpidité, et en même temps je me sens figée dans un rôle. Une partie de moi n'en peut plus de garder le silence sur ce que je vis depuis trois ans. Je me rends compte de ce fossé que j'ai créé par peur des jugements et des sarcasmes, du fossé entre l'ancienne Marie Lise que ces gens viennent écouter et celle que je suis devenue. Finalement, j'ai menti à cette femme à l'entrée, «Vous savez, je suis toujours la même»; mais non! réveille-toi, Marie Lise, tu n'es plus la même. Je sens monter en moi un cri.

Nous sommes à la fin de la rencontre, le temps des questions est venu...

J'entends, venant de l'assistance :

— Que pensez-vous des guérisseurs philippins?

Suzanne Bougie, une des conférencières, se retourne vers moi, sachant ce que je viens de vivre avec les guérisseurs. Elle m'invite de son regard à prendre la parole.

Je crois rêver et, dans une forme d'état second, je m'entends raconter mon expérience. Je m'entends parler de guérison spirituelle et de son impact puissant à tous les niveaux de l'être. Tout en échangeant avec l'auditoire, j'observe la résonance de mes mots sur chacun : certains visages s'illuminent, d'autres se referment, d'autres démontrent une forme de questionnement. J'ai subitement peur; je pèse mes mots de plus en plus, devenant consciente que ma réponse à cette question est avant tout bâtie sur ma seule et unique expérience. Je n'ose pas décrire le moment d'illumination vécu, car je ressens que l'auditoire n'est pas tout à fait prêt. Je coupe court et je ménage une porte de sortie. Soudainement, je suis frappée par le fait que je me refuse de parler de Dieu, ou de la divinité en nous. J'ai peur d'avoir l'air ridicule et pourtant, cette force, je la contacte, je la ressens, je la vis auprès des Anges que je canalise quotidiennement; cette force m'habite, de quoi ai-je peur?

La conférence se termine, les gens m'applaudissent. Quant à moi, je suis très loin de m'applaudir. Je me sens lâche, incapable de communiquer qui je suis vraiment. J'ai l'impression de vivre une double vie : celle du médium et celle de la thérapeute. J'ai envie de pleurer. Je me sens lasse de me cacher et de jouer constamment la sécurité pour sauvegarder l'image de la parfaite professionnelle qui a une réputation à maintenir, non seulement face à elle-même, mais aussi face à un Centre et à ses associées. Je sais que rien ne va plus, j'entends le grondement d'un volcan qui va bientôt entrer en éruption, je pressens que quelque chose va bientôt surgir. Je ne suis plus capable de me sentir à la fois si vulnérable et si tiraillée, et pourtant le mouvement créé par la poussée de lumière se poursuit...

De retour de Hull, je lance un cri de détresse, par la voix du téléphone, à Jimmy, l'assistant du guérisseur philippin. C'est sa femme qui me répond. Je lui explique mon état de vulnérabilité, je tente d'exprimer cette sensation qu'un mouvement s'est installé en moi, que je ne peux plus y résister et que je suis en pleine perte de contrôle. Pour toute réponse, Adélaïde me raconte sa propre expérience de guérison auprès des guérisseurs. Je suis assise dans mon bureau et je l'écoute attentivement. Je reconnais les étapes de transformation que toute guérison entraîne chez un individu : sa vie en fut totalement transformée.

Atteinte d'un cancer de l'utérus, elle décidait de se rendre au Mexique rencontrer les guérisseurs, comme dernière tentative pour éviter la chirurgie. Elle passe trois mois en leur présence, revient au Québec, guérie. Son retour est difficile, elle a à affronter son passé qui l'attend. Elle est critiquée et ridiculisée par sa famille et ses amis; elle est quand même guérie, et elle tient bon, décidant de suivre cette voie de guérison qui s'est installée en elle. Adélaïde est maintenant enceinte de six mois...

Nous sommes à quelques jours de l'Action de grâces, la lumière qui pénètre dans mon bureau est douce et tendre. La température est clémente, l'été des Indiens s'annonce pour le week-end à venir. À écouter Adélaïde, je retrouve dans son histoire les mêmes éléments qui ont composé mon parcours d'autoguérison : que ce soit l'antigymnastique, les guérisseurs philippins, ou toute autre méthode. Elle a été son propre outil de guérison; seule, elle a eu le courage de transformer ce qui était nécessaire pour se guérir et de maintenir ce niveau de guérison.

C'est le silence, maintenant, dans notre conversation. Je regarde la pièce qui baigne dans la lumière de cette fin d'après-midi, je me laisse aller à pleurer tout doucement, enveloppée par la douceur du moment présent. J'entends une voix qui me parle; et ce n'est pas celle d'Adélaïde, car elle provient de l'intérieur de moi, et cette voix me dit que j'aurai à tout quitter pour poursuivre ma voie et suivre le mouvement de mon être. Cela est dit avec une telle douceur, un tel amour et une telle certitude, que même mon ego l'accueille. Adélaïde reprend la conversation :

— Je me permets, Marie Lise, de te suggérer un livre qui, peut-être, accompagnera ton week-end à la campagne; il s'intitule *L'Amour qui guérit,* c'est l'ouvrage qui m'a initiée à mon processus de guérison et qui m'a décrit la voie.

En notant le titre, j'observe que je ne suis pas à mon aise avec ces mots *L'Amour qui guérit,* et pourtant n'est-ce pas l'amour qui m'a aidée à me guérir de la maladie incurable dont j'étais atteinte?

Je pleure comme une madeleine. Je suis attablée dans un restaurant très huppé de North Hatley. Le serveur me regarde, étonné. Je me sens ridicule, mais je ne peux m'empêcher de pleurer et pleurer sans arrêt. Est-ce le vin délicieux que nous dégustons qui cause toutes ces larmes, ou le mouvement d'énergie qui fait son chemin en moi?

Ici, c'est la fête. Les amoureux se retrouvent pour ce long week-end de l'Action de grâces. Moi, je ne me sens pas de la fête, je suis tellement triste! À ma demande, le serveur m'apporte une grosse boîte de kleenex que je dissimule sous la table. Je sais que les écluses sont ouvertes et que les larmes vont couler tout au long du repas. Serge m'écoute, et me sert du vin. Comment lui dire que je pleure la terre entière, le genre humain, et le culte de l'image? Je pleure tout ce que j'ai vécu cette semaine : ma très grande vulnérabilité, la défaite de l'ego, la qualité éphémère de l'amour conditionnel des autres. Je pleure d'être différente des autres et d'être aussi très semblable. Je pleure aussi ma vie qui va encore une fois se transformer. Je me sens si petite dans tout cet univers en changement! Je regarde Serge à travers mes larmes. Puis-je lui dire que je sais, au plus profond de moi-même, que nous allons nous quitter? que cette voix que j'ai entendue ne ment pas?

La nuit s'annonce douloureuse parce que, trop consciente, j'espère que les larmes vont m'envelopper dans leur manteau de sommeil. Douce illusion! le sommeil ne vient pas au rendez-vous. Je ferme les yeux, je les ouvre de nouveau, je baigne constamment dans une lumière dorée, et pourtant la chambre repose dans l'obscurité totale. Je vis un de ces moments qui se produisent souvent depuis le début du processus de médiumnité, moments où ma lumière intérieure est tellement intense que même les yeux fermés je me croirais couchée sous une ampoule de cent watts dorée. Je ne connais que deux solutions à cette expérience : soit me mettre un bandeau sur les yeux pour calmer mon troisième œil, soit carrément me lever et m'activer. Pour l'instant, je ne bouge pas, j'observe cette lumière intérieure, j'essaie de m'y abandonner. Ces moments intenses de lumière ne sont pas toujours faciles, mon corps est mû par une force que je ne lui connais pas et tout exercice de méditation ou de respiration ne fait qu'augmenter l'intensité de l'expérience. Est-ce l'énergie de la kundalini?

Depuis le traitement du guérisseur, mes capacités psychiques semblent avoir augmenté, je ressens profondément un mouvement interne d'énergie incontrôlable. J'essaie d'être à l'écoute de ces vibrations. J'entends les ronflements de Serge et je ne peux m'empêcher de trouver cela cocasse, mais même l'énergie déployée à trouver cela amusant intensifie la lumière. Toute excitation intérieure a pour effet d'intensifier l'expérience. Je me sens tout d'un coup à l'étroit dans ce lit double, j'étouffe dans cette chambre. La lumière s'intensifie, mon corps s'engourdit, je ressens une vive pression au troisième œil, pression qui m'écrase sur le lit. J'ai peur; je n'ai plus de contrôle, je sais que si je résiste, les symptômes vont augmenter. Dieu aidez-moi! J'ai peur que quelque chose m'apparaisse, je pressens une vision, puis soudainement un voile semble vouloir se déchirer. La pression est de plus en plus forte, je me dis «Je laisse aller, je laisse aller». Des images apparaissent, elle sont floues, puis elles se précisent :

Je me vois avec Serge et nous nous sommes quittés, cela semble un fait accompli; nous sommes toujours en bons termes, nous discutons des Anges et de mon travail avec eux.

Une autre image semble vouloir se superposer : Je vois ma vie transformée, je me consacre totalement à la médiumnité, je suis accompagnée par un homme qui est mon compagnon de vie, nous sommes totalement abandonnés à l'énergie divine d'amour inconditionnel, notre vie est totalement guidée par une force supérieure à la nôtre.

Une autre image encore vient s'imposer avec plus de force : Je suis en voyage dans un pays chaud, je ne suis plus la même. La femme de cette vision est très différente de celle que je connais, elle a vécu une transformation, quelque chose en elle semble avoir fondu.

Je ressens soudainement la présence de Gregory dans la pièce : il est tout près de moi. Il est le gardien de cette vision, sa présence me ramène, les images s'estompent ainsi que ma lumière intérieure. Je m'assois dans le lit. Ai-je halluciné? Les images sont encore très vives. Que comprendre de tout ceci? Que fait Gregory dans la pièce? Est-ce l'homme de ma vision? Serais-je appelée à devenir un guérisseur philippin? Devrais-je étudier auprès de lui? Le pays chaud de ma vision est-il les Philippines? Autant de questions sans réponses. La Marie Lise de ce rêve visionnaire est emplie d'une très grande simplicité, elle a perdu un poids. Arriverai-je un jour à lui ressembler? tout me semble étonnant, à la fois réel et irréel. Comment interpréter ceci? Chose certaine, je me sens, ce soir, couchée dans mon lit à North Hatley, à un carrefour important de ma vie. Je ne voudrais pas me tromper... J'ai déjà été si bien guidée dans mon existence, à la période de mon autoguérison, mais cette fois-ci, ça ne semble pas la même chose : non seulement les messages ne sont pas aussi clairs et, en plus, j'en doute. Mais peut-être sont-ils clairs, peut-être suis-je simplement prise dans une structure où je suis plus imprégnée que d'habitude de mon ego social et d'un certain attachement à ma vie telle qu'elle est?

J'essaie de me souvenir de cette période où j'ai tout quitté : mon amoureux, mon travail et même mon pays, pour me prendre en main et me guérir avec peu de sous en poche. Tout était tellement clair et tout se manifestait à moi, j'étais totalement abandonnée à suivre ma voie, je n'avais rien à perdre et tout à gagner d'une vie meilleure. Cette fois-ci, l'appel de mon être est différent, il se présente sous une forme plus incertaine, les messages sont plus subtils, les malaises sont aussi plus indéfinis, et je me sens encore appelée à tout abandonner : amoureux, carrière, centre, reconnaissance sociale et même les cheveux, c'est-à-dire l'ego et la personnalité, pour suivre ma voie, mais quelle voie? Cette voie n'est pas aussi claire que l'autoguérison, je ne suis pas en état de survie physique comme je l'étais quand j'ai choisi de m'autoguérir. La vie que l'on me demande de quitter est une vie meilleure que celle de l'époque où j'ai choisi de tout abandonner pour me guérir. Pourquoi une deuxième fois? Pourquoi tout abandonner encore une fois? Je pressens que l'on me demande de m'abandonner à des aspects élevés de moi-même dont je pressens la nature mais dont j'ignore la dimension et la portée. Aurai-je le courage de répondre à la poussée de mon âme, à la poussée de la lumière en moi?

— Marie Lise, ma chérie, as-tu faim?

La voix de Serge me sort de ma torpeur. L'odeur de sa lotion après-rasage Uomo me fait supposer que la matinée est avancée.

— As-tu bien dormi?

— Je me sens mieux...

Et pendant que je m'entends lui répondre, je me rends compte qu'un voile s'est levé; je me sens légère, dégagée, et j'ai très faim.

Le même restaurant, qui me semblait si sombre hier, nous accueille avec beaucoup de lumière. Je me sens définitivement mieux. La vision d'hier semble du domaine de l'imaginaire. Seuls mes yeux, légèrement bouffis par le peu de sommeil, me confirment que la nuit a été en grande partie consciente.

— Tu es très belle avec tes cheveux courts.

Serge est rempli d'amour et de tendresse. Complices, nous nous regardons et en rions aux éclats.

— Et même si j'étais moins belle, il n'y a plus rien de grave maintenant, j'ai compris.

Je m'installe sur une chaise longue, au soleil de l'été des Indiens pour débuter la lecture de *L'Amour qui guérit*. Après avoir lu une vingtaine de pages, je m'ennuie, je trouve que le livre manque de caractère, que le sujet est long à se développer, et je ne sais pas où l'auteur veut amener son lecteur. J'ai la sensation que je n'ai rien à apprendre. Mon intuition me dit de persister, de permettre à l'auteur de raconter son histoire. Je continue donc pour une dizaine de pages, puis l'impatience l'emporte, je décide de mettre le livre de côté. C'est encore l'histoire de quelqu'un qui se cherche, il n'y a rien de nouveau, tout le monde se cherche. Je me suis tout simplement trompée, malheureusement c'est le seul livre que j'ai apporté. Bah! J'écrirai, plutôt.

Serge et moi décidons de faire une randonnée à pied. Au fur et à mesure que se déroule l'après-midi, je pressens que c'est notre dernier week-end en amoureux, même si nous avons programmé une semaine à La Catalina en République Dominicaine, pour célébrer notre deuxième anniversaire de rencontre. Même si les billets d'avion sont achetés, cette forte intuition persiste. Que faire, sinon de l'accueillir? je n'ai plus l'énergie pour me battre, je me soumets.

De retour à l'hôtel, je m'installe face à mon nouvel ordinateur portatif, acheté pour l'écriture de mon prochain livre. Je choisis de raconter à mon journal mon vécu avec mes amis les Philippins. Totalement emportée par le sujet, j'oublie le temps, j'écris, j'écris jusqu'à ce que mon écran se mette à changer de couleur, comme si les lettres voulaient disparaître. Je prends conscience qu'une lumière clignote depuis un certain moment. Étant dans un «état altéré d'écriture», je n'ai pas constaté que cette lumière indiquait «Power».

Prise de panique, je ne sais plus que faire, je ne comprends plus rien. Le vendeur m'avait bien dit que la batterie était bonne pour trois heures d'écriture, et je n'écris pas depuis trois heures. Tout en constatant que les lettres s'effacent de plus en plus, je réalise que je n'ai pas sauvegardé mon texte. Oh horreur! Je tente de sauver tout ce que je viens d'écrire, mais il est trop tard. Les guérisseurs philippins disparaissent à tout jamais, ainsi que mon heure et demie d'écriture. Je suis révoltée, horrifiée, hors de moi. Quel engin terrible qui avale ainsi un texte! c'était si beau, si bien écrit... Je cours vers Serge qui est à prendre l'apéro pour lui raconter mes déboires. En guise de réponse, il me commande une vodka martini.

— Bienvenue au pays de l'ordinateur! me dit-il.

Sidérée, ayant perdu le goût d'écrire, je sirote mon apéritif; le livre *L'Amour qui guérit* traînant parmi de multiples revues consultées par Serge pendant l'après-midi, semble me faire un clin d'œil. J'ai une étrange impression que mes amis les Anges rigolent très fort en haut. Est-ce qu'on s'amuserait à mes dépens, par hasard?

Il est minuit, je dévore le livre *L'Amour qui guérit,* et dois faire beaucoup de bruit en le savourant puisque Serge se réveille.

— C'est incroyable, ce livre est écrit pour moi, dis-je à haute voix.

— Est-ce le livre qui ne t'inspirait pas ce matin? me demande Serge d'une voix chargée de sommeil.

— Oui, c'est le même.

— Vas-tu le commenter ainsi à haute voix toute la nuit? poursuit-il d'un ton semi-moqueur.

— Tu ne veux quand même pas que je m'installe dans la salle de bains?

— Non, je ne te ferai pas ce sale coup. Raconte-moi plutôt l'histoire.

— C'est l'histoire d'un gars qui abandonne tout, car sa vie ne lui plaît pas. Il part en voyage, rencontre son âme sœur par hasard; le hasard n'existant pas, ils se rendent compte qu'ils ont une mission commune et partent pour les Philippines étudier auprès des guérisseurs. Ils surmontent plusieurs épreuves, vivent l'apprentissage de l'amour inconditionnel — d'où le titre *L'Amour qui guérit,* et lui devient guérisseur et elle médium...

Un silence d'or règne soudainement dans la chambre.

— Serge, crois-tu que j'aie à aller aux Philippines, moi aussi?

— Greetings to you, Marie Lise.

— Greetings to you, The Transformers.

Les Transformers font signe à Diane, le directeur de transe, qu'ils n'ont pas de commentaire et que je peux débuter mes questions. Je commence par ce qui me tient le plus à cœur.

— J'aimerais vous informer que j'ai la forte intuition que je vais quitter Serge. Je ne sais pas quand, je ne me sens pas prête maintenant, mais cela me poursuit très fort. Je pars en République Dominicaine vivre mon premier atelier en transe avec les Anges. Serge devait venir me rejoindre la semaine suivante mais il a dû annuler son voyage, une difficulté s'étant présentée au travail; ses associés lui demandent de ne pas partir. J'ai un drôle de pressentiment. J'ai tenté par différents moyens de faire changer mes billets pour revenir au Québec plus tôt. Rien ne fonctionne, je vais passer cette semaine seule, finalement; vous allez me dire qu'il n'y a pas de hasard... n'est-ce pas?

— Vous avez raison, Marie Lise, il n'y a pas de hasard.

Les Transformers ne semblent pas très bavards ce matin. J'attends en silence, je n'ai plus rien à leur dire en ce moment. Le temps de silence s'étire. Je regarde mes pieds, je me laisse bercer dans leurs vibrations d'amour, qui emplissent la pièce.

— Il y a approximativement deux ans, nous vous avons déjà dit que vous auriez à quitter Serge. Nous vous le répétons : il y a une âme sœur qui vous attend, tout ce que vous n'avez jamais espéré, vous le vivrez avec cette âme, autant dans la joie que dans la difficulté.

Ils se taisent. J'écoute et j'attends, je n'ai rien à dire. Je ne suis pas intéressée par leur histoire d'âme sœur en ce moment, je suis plus préoccupée par le moment présent.

— Vous ne rencontrerez cette âme que lorsque vous vous serez libérée de votre relation présente. N'espérez point que cette âme vous attende en République Dominicaine.

Ils commencent à m'énerver...

— The Transformers... je n'espère rien.

Je décide de collaborer un peu pour stimuler la rencontre.

— Est-ce que je la connais?

La pièce est remplie d'un temps de silence, ils cherchent...

— Vous l'avez déjà rencontrée en rêve.

Rapidement je passe en revue les personnages mâles de mes rêves, je démissionne, ils sont trop nombreux...

La voix de Serge me sort de mes réflexions sur ma rencontre avec mes amis de Transformers.

— Sylvie, ton directeur de transe, est au téléphone.

Je suis concentrée à boucler ma valise pour le départ en République Dominicaine. Je suis un peu étonnée de l'appel de Sylvie. Peut-être veut-elle vérifier les derniers préparatifs avant le départ, puisqu'elle dirigera les Anges pendant toute une semaine. Je prends le récepteur, c'est la voix d'Émilien, son ami, qui me parvient, chargée d'émotion.

— Marie Lise, Sylvie aimerait que tu fasses une transe. Elle vient de recevoir un appel comme quoi son père est mourant; elle doute de l'authenticité de cette source d'information. Si toutefois tel était le cas, elle doit annuler son voyage et partir pour Québec dès maintenant. Peux-tu vérifier ceci avec les Anges et nous rappeler le plus tôt possible, s'il te plaît? Voici le nom de son père et son âge...

Je raconte ceci promptement à Serge, lui donne les prières d'induction et lui demande de se préparer à diriger sa première transe avec les Anges. Je l'aide à formuler la question et lui donne les informations pour que les Anges puissent localiser le père de Sylvie.

Je m'isole dans une pièce pour méditer, je tente de me calmer, mon cœur palpite, une tristesse m'envahit, je pense à Sylvie, à l'amour qu'elle porte à son père. Je demande l'aide de la Source pour m'aider à créer l'état de transe et être un canal pur.

Nous faisons la transe et la réponse des entités angéliques est très claire : «L'âme se prépare au passage. Le passage devrait se faire dans les trois prochaines heures de votre temps terrestre. Nous suggérons à Sylvie de débuter dès maintenant une méditation pour aider l'âme de son père dans son passage. Toutefois, nous pouvons ajouter que l'âme est sereine».

Je reviens de transe, Serge me communique la réponse des Anges et j'appelle sur-le-champ Sylvie, je transmets le message à Émilien qui me demande d'annuler le billet d'avion de Sylvie et d'avertir les autorités en question. «Nous partons pour Québec», me dit-il.

Je suis assise sur mon lit, je regarde ma valise, le tout s'est déroulé tellement vite! Je m'étends un peu pour prendre le temps d'intégrer ceci. Serge me rejoint pour s'étendre à mes côtés.

— Serge, j'ai un drôle de pressentiment pour ce voyage. Au début, tu devais venir, tu es dans l'obligation d'annuler. Maintenant c'est au tour de Sylvie d'annuler. C'est très étrange, je me sens tout chose, peut-être que je ne réussirai pas à me rendre en République pour cet atelier. J'ai vraiment un drôle de pressentiment, j'ai l'impression de marcher sur des œufs. De plus, j'ignore totalement ce qui m'attend là-bas; te rends-tu compte que c'est la première fois que je permets aux Anges de diriger un atelier, et maintenant je n'ai plus de directeur de transe.

— Marie Lise, tu exagères; Monique, ton ancien directeur de transe, va se faire un plaisir de te diriger; de plus, elle est déjà sur place, elle t'attend.

Je reconnais, par le ton de sa voix, qu'il tente d'être rassurant.

— Si l'avion s'écrase, c'est que mon heure a sonné... à moi aussi.

— Marie, l'avion ne peut pas s'écraser, car les Anges veulent donner leur premier atelier.

Serge réussit à me faire sourire, la conversation est close et je ferme ma valise.

—En route! me crie-t-il.

Nous roulons rue Sherbrooke; il y a beaucoup de circulation. Deux jeunes hommes attirent mon attention; ils courent entre les autos pour prendre leur autobus de l'autre côté de la rue. Je les regarde agir, observant la souplesse de leurs corps quand, soudain, je vois un véhicule arriver dans la voie de droite et qui roule à une vitesse supérieure aux autres; je sais qu'il y aura impact et, au même moment, je vois le corps d'un des jeunes gens virevolter haut dans les airs pour retomber lourdement en avant du véhicule qui, ne pouvant s'arrêter brusquement, l'écrase. Les autos freinent abruptement, des piétons courent pour aider. J'ai le réflexe de prendre le cellulaire de la voiture pour appeler 911, Serge m'indique en silence un bâtiment : nous sommes devant l'hôpital Notre-Dame.

Tous les poils de mon corps sont hérissés, je suis en état de choc. Nous poursuivons notre route, les idées déferlent à une vitesse rapide dans mon cerveau, je me surprends à prier, prier pour cette âme, prier pour le père de Sylvie, prier pour Serge et prier pour moi. Quels sont ces signes? La mort... C'est un dimanche de mort. Est-ce que l'univers est à m'annoncer une mort d'homme? Est-ce un aspect de l'homme en moi qui est en train de mourir? Est-ce Serge qui va mourir? Qui est-ce qui va mourir? Je ne suis pas folle, je sais que l'on m'annonce une mort, serait-ce la mort de ma relation?

Je ferme les yeux, je prends la main de Serge, je me laisse conduire à l'aéroport. Je prie; mon enfant intérieur se sent terriblement triste. Je n'ai plus envie de partir, j'aimerais pouvoir arrêter le temps.

J'ouvre les yeux, il s'est mis à pleuvoir. Je regarde Serge qui conduit, les mâchoires serrées, comme s'il lisait dans mes pensées. Tout est gris autour de nous.

— Il m'est difficile de croire que d'ici quelques heures, je serai dans la lumière de la République Dominicaine.

— Et moi, ma chérie, il m'est difficile de croire que je ne peux aller t'y rejoindre.

L'autobus me dépose dans le stationnement de l'hôtel La Catalina. Au moment même, je constate qu'il y a un nouveau véhicule en stationnement et Lise, notre chauffeur, me dit :

— Tiens, nous avons de la visite.

Le mot visite me rend songeuse. Toute la semaine, j'ai attendu une visite, mais à voir la réaction de Lise à la venue d'un nouveau véhicule, je comprends qu'en ce moment, au mois de novembre à La Catalina, les visites soient rares. En silence, nous examinons le véhicule. Je trouve la scène cocasse, et j'en ris.

— Lise, à voir notre réaction, j'ai l'impression que nous habitons dans un coin reculé de la brousse où il n'y a âme qui vive.

— Sérieusement, Marie Lise, il me semble que je connais ce véhicule.

Tout en ramassant mes effets de plage, le mot visite continue de me faire un effet; je me sens prise d'une nostalgie et d'une soudaine fatigue. Le temps d'isolement et de solitude que je viens de vivre n'a pas été facile. J'ai attendu toute la semaine une visite, comme si j'avais espéré que

Serge arrive par magie et vienne m'empêcher de prendre la décision de le quitter. Je me sens vieille et fatiguée de toujours négocier avec mon enfant intérieur, enfant qui manque de sécurité affective.

— C'est drôle, Lise, toute la semaine j'ai attendu une visite, et voilà que, ne l'attendant plus, elle arrive. J'essaie de me moquer de moi-même.

— Ah oui! Qui pourrait bien venir te visiter ici Marie Lise?

— Justement, personne...

À voir ma bouille, elle éclate de rire. Je me sens bien à La Catalina, je me sens en famille, accueillie dans ce que je vis. Je me dirige vers ma chambre pour prendre une douche et méditer. J'adore la sensation de ma peau qui, ayant puisé la douce énergie du soleil sur la plage, renvoie à mes sens une chaleur profonde, apaisante. Je me sens calme, j'ai apprivoisé l'idée de la séparation à venir. Je sais que mon système nerveux est fatigué par les différents états émotifs qui ont accompagné cette décision, je tente depuis hier de le renforcer, de le ressourcer par l'énergie de la mer, du soleil et des méditations. Comme j'aimerais me ressourcer dans une transe en canalisant les Anges! mais je n'ai personne pour me diriger.

Je m'installe pour méditer avant d'aller souper; je ferme les yeux, je contrôle mes centres d'énergie, ils sont tous imbibés de l'énergie solaire; j'observe son mouvement en moi, je tombe dans un profond état altéré de conscience.

En arrivant à la salle à manger de l'hôtel je me rends compte que je suis sortie un peu trop rapidement de mon état de méditation, que je ne suis pas revenue totalement sur terre. Qu'est-ce qu'il y a de si urgent pour me presser ainsi? Je me dirige vers le bar. Gilbert, un des rares clients de l'hôtel, me fait signe en regardant vers la terrasse :

— Nous avons de la visite.

Je me retourne vers la terrasse. Claude y est assis avec un homme. Je regarde sa silhouette, et mon cerveau me dit que je connais cet homme, je cherche un peu plus fort pour découvrir qu'effectivement, je le connais : c'est Robert Ethier, de Sosua, l'homme que les Anges insistaient tant pour rencontrer. Je me sens mue par une force plus grande que moi; elle me pousse à aller le saluer. Je résiste, je suis loin de me sentir à l'aise. Pendant que mes jambes m'avancent vers les deux hommes, mon cerveau me renvoie les images de cette rencontre du troisième type, il y a deux ans. Je me souviens que mon ego n'avait pas apprécié de servir ainsi les Anges et leur demande.

Pourquoi est-ce qu'on me pousse à aller le saluer? Il ne me reconnaîtra pas. Je m'avance toujours. Claude lève la tête, un peu surpris :

— Oui, Marie Lise ?

Ah non! Claude pense que je veux lui demander quelque chose.

— Non, Claude, je ne veux pas vous déranger, je...

Je me sens tellement gauche, je voudrais me cacher dix pieds sous terre.

— Bonjour, qu'est-ce que tu fais ici?

Robert Ethier m'a reconnue.

— Je viens de vivre un atelier avec les Anges. C'est la première fois, les gens ont beaucoup apprécié...

Mais qu'est-ce que je viens de dire? Le mot que je ne

voulais pas prononcer est dit, je me suis entendu répondre exactement ce que je ne voulais pas répondre. Je suis mue par une force plus forte que moi qui parle à ma place; je déteste cette sensation de perte de contrôle. Je tente de changer le sujet de conversation, car je ne veux pas le ramener sur la piste de sa rencontre du troisième type il y a deux ans.

— Et toi, qu'est-ce que tu fais ici?

— Je suis venue initier Amaralis au Reiki.

— La masseuse?

— Oui, la masseuse.

Il semble sourire de mes pensées et de mon étonnement, comme s'il pouvait lire les déductions de mon cerveau : «La masseuse, qui est Dominicaine, qui vit dans le petit village de Cabrera, qui ne semble rien connaître au monde de l'énergie et qui reçoit cette initiation!» Robert décide de poursuivre pour répondre à mes questions non exprimées.

— Cela fait depuis juillet que je dois l'initier, mais je ne cesse de reporter ceci; je n'ai pas eu le temps de faire le voyage de Sosua à Cabrera, dernièrement j'ai été très occupé. Comme je pars mardi pour l'Inde, je n'avais plus le choix que de venir maintenant, et voilà.

Robert fait une pause et me regarde attentivement.

— J'ai quitté définitivement mon entreprise, je me consacre totalement au Reiki, je suis prêt à aller partout dans le monde où l'on aura besoin de moi en tant que maître Reiki. Je fais le saut...

Pendant qu'il me parle de sa vie, de ses multiples transformations, de sa relation avec son maître spirituel, j'observe l'énergie qui nous enveloppe : elle est de couleur dorée. Claude nous a quittés en douce, nous semblons isolés du reste du monde. Je me sens totalement aspirée par cette forme d'énergie qui se dégage de nous deux, mon chakra couronne est tellement actif que j'en suis étourdie. J'observe, tout en me demandant intérieurement ce qui m'arrive. Robert Ethier semble parler pour nous deux. Suis-je la seule à vivre cette intensité? La ressent-il lui aussi? Je tente de porter une oreille plus attentive à ses propos, pour m'enraciner, et je n'y arrive pas. Je me sens aspirée par le haut. Je me sens changer d'état de conscience, je me sens m'élargir, englober non seulement l'espace qui nous entoure, mais aussi une autre forme de réalité.

Robert continue son discours. Sa voix semble de plus en plus éloignée, je suis dans un autre espace de conscience. Dans ce lieu, on me dit que cet être, Robert, a fait le pas de quitter son ancienne vie pour se consacrer totalement à la mission de son âme, qu'il est totalement libre, qu'il n'a plus vraiment d'attaches, qu'il est prêt. Cette information m'est donnée sans aucun jugement; le message est empreint d'amour, de sérénité et de certitude, comme si on m'informait d'un fait accompli. La communication terminée, je sors petit à petit de ce plan de conscience. Robert ne s'est aperçu de rien, il continue à être présent à ses propres propos. Soudainement, sans me préoccuper de lui couper la parole, j'énonce spontanément une phrase, qui vient peut-être d'un point très précis d'un autre plan de conscience :

— Tu sais, j'ai cessé de rêver à toi.

Je m'entends dire ceci de loin, le mot «rêve» déclenche dans mon cerveau une explosion de conscience, un éclatement, suivi d'une lumière intense qui me projette à mille lieues de La Catalina. Je suis partie en orbite, j'entends une voix dire : «Vous le connaissez par vos rêves». Je reconnais la voix des Transformers; dans une fraction de seconde je revois ma rencontre avec eux avant mon départ. L'instant d'une vision, tous les morceaux du casse-tête s'assemblent et ce, à une vitesse fulgurante : la lecture du livre *L'Amour qui guérit,* Serge qui annule son voyage, la mort de l'animus affrontée juste avant de partir, le pressentiment d'attendre quelqu'un, ma décision de quitter Serge, l'arrivée de Robert aujourd'hui, le ton taquin des Transformers me disant : «ne vous attendez pas à le rencontrer en République Dominicaine»... Mon cerveau va éclater... et l'ultime question arrive : «Serais-je assise devant mon âme sœur?» j'entends «Oui». La confirmation m'est donnée sans émotion, sans attachement. C'est lui? mon âme sœur serait tout simplement lui? Les sensations se mêlent, l'aspiration par le chakra couronne persiste, je suis en plein éblouissement de conscience. J'entends la voix de Robert dans le lointain :

— J'ai souvent relu les notes que j'avais prises lors de ma rencontre avec les Anges, il y a de cela deux ans, je n'ai pas encore vraiment compris pourquoi il était si urgent pour eux de me contacter à cette époque.

Ces mots me font l'effet d'une douche froide. Je suis ramenée aussitôt dans mon corps. Je sens le besoin de défendre les Anges, je me retiens, je regarde attentivement cet homme. Mais qu'est-ce qu'il fait ici dans ma vie, là, à La Catalina, dans mon paradis terrestre?

Il soutient mon regard. Il a raison; pourquoi les Anges avaient-ils tant insisté?

— Je ne comprends pas toujours les interventions des Anges auprès des gens.

Je regarde intensément cet homme qui est mon âme sœur. Il semble mal à l'aise à son tour, je ne sais plus quoi dire, je suis confuse, je souris gauchement. Je me sens épuisée par l'énergie qui nous entoure.

— C'était une rencontre un peu hors de l'ordinaire et j'en profite pour te remercier de nouveau. C'est drôle, cela fait presque deux ans jour pour jour que j'ai rencontré tes Anges.

Il me dit ceci avec une candeur presque enfantine.

Je suis épuisée d'être à ses côtés, je suis épuisée par cette révélation et épuisée de toujours être mue par cette force qui parle pour moi.

— Aimerais-tu que je t'organise un groupe de Reiki à mon centre à Montréal lors de ton retour de l'Inde?

Suis-je folle? Je ne connais même pas cet homme et pas vraiment le Reiki, et je lui offre d'organiser un groupe. Je tente de me reprendre. La force en moi continue de parler.

— Je sens que ceci me ferait du bien à moi-même et aux gens qui m'entourent. Je sais que c'est un outil de guérison.

J'essaie d'avoir un peu l'air de maîtriser ce qui se passe, mais peine perdue.

— Je serais content de transmettre le Reiki à Montréal. Je te le répète, je vais où l'on m'appelle, je m'abandonne.

Je me lève pour aller chercher un papier où noter mon numéro de téléphone pour le lui donner. Je marche comme un automate.

Pendant que je suis à noter mon numéro de téléphone et mon adresse sur un petit bout de papier, j'entends :

— Marie Lise, prend un grand papier, les petits peuvent se perdre.

Je me retourne. Marie France est là, avec un air complice, à me tendre un grand papier. Sait-elle?

La ville de Québec est grise, le temps est à la neige. Le mois de décembre s'annonce triste, humide et froid. J'étais si bien dans la lumière de l'au-delà, le retour sur terre est brutal. Je tente de bien conduire ma voiture, chemin Sainte-Foy, je me sens encore connectée à l'espace de ma dernière transe; comme le décalage est grand entre là-haut et ici!

Je regarde les humains qui sont entassés aux arrêts d'autobus, grelottant sous l'assaut de l'humidité. Mais qu'est-ce qu'on fait sur cette terre? quel est le sens de notre existence? Travailler, manger, dormir, essayer d'aimer? La file des phares d'automobiles, chemin Sainte-Foy, est interminable; je sens l'impatience me gagner. Quel contraste avec l'endroit d'où je viens! En haut, il n'y a rien qui impatiente, l'impatience n'existe tout simplement pas; il n'y a pas de froid, ni de gris, ni d'humidité, ni d'hiver, ni de tristesse, il n'y a que la lumière, la douce chaleur éblouissante, et cet amour si inconditionnel. Qui sommes-nous pour vivre ainsi sur cette planète? Pourquoi avons-nous quitté l'au-delà?

«Tente de t'enraciner, n'oublie pas que tu es au volant d'un véhicule», me dit une voix intérieure.

Difficile de m'enraciner. Depuis hier, je fais des transes; je quitte la terre, je visite l'au-delà, je reviens, je quitte de nouveau, je visite le ciel, je reviens... et maintenant je conduis mon auto. Plus je visite l'au-delà, plus mon regard sur les humains et sur moi-même se transforme et plus je me questionne. Ma vision s'élargit, je me promène entre la visite d'un monde où il n'existe qu'amour, douceur infinie, compréhension totale, simple joie, un monde où le jugement n'existe pas, et le monde où je vis. La marge est grande. L'adaptation n'est pas toujours aisée; je suis portée à comparer et à juger, je nous trouve tout simplement bizarres, je me trouve aussi bizarre.

Ces temps-ci, je n'ai pas envie de revenir de transe. La réalité que je vis ne m'attire pas, je vois Serge souffrir terriblement de la séparation. Si cette action est juste, pourquoi cela entraîne-t-il de la souffrance chez l'autre? Je me juge, et ces jugements sont durs, ils me font mal. Je me juge de constamment me séparer. Il me semble que ma vie n'est que séparation, douleur affective et tentative d'aimer. Est-ce que je n'en ai pas assez de me séparer? comment se fait-il que plus je m'unis à la Source, plus cela entraîne dans ma vie un sentiment de séparation? Je me sens séparée entre ciel et terre, entre les humains et les Anges, entre Serge et moi-même, entre cet inconnu, Robert, qui est en Inde et ma réalité d'ici. Les Anges nous enseignent qu'il n'y a pas de séparation, que la séparation est créée par une illusion de notre ego... eh bien! mon ego doit être fort, car je la ressens, la séparation. Sur terre, j'ai l'impression que nous ne sommes que séparés. J'arrive dans l'au-delà et il n'existe que fusion, fusion totale. Est-ce que c'est cette sensation qui rend encore plus aiguë le sentiment de séparation terrestre que je vis? Je me sens mal, aujourd'hui, d'être humaine, d'avoir à vivre sur cette planète.

Je regarde les automobilistes qui m'entourent, je regarde le ciel qui s'assombrit encore plus, je regarde les maisons, les annonces publicitaires : ça c'est la terre. La guerre du Golfe qui est sur le point d'être déclarée, ça aussi c'est la terre. Je sens pointer en moi une colère, mais qu'est-ce que nous attendons pour nous réveiller? Nous vivons le nez par terre, la tête baissée, nous identifiant totalement aux fissures que nous rencontrons dans le trottoir de notre vie, et c'est ainsi que nous menons nos existences. Nous défendons précieusement ce que nous croyons posséder, nous pleurons ce que nous croyons perdre, nous cherchons où il est impossible même de trouver, nous attaquons des ennemis que nous portons en nous, nous détruisons, croyant bâtir, et quoi encore! Jamais nous ne levons nos yeux vers le ciel, ou si peu. Jamais nous n'ouvrons nos yeux à notre cœur, à notre âme. Jamais nous ne nous détachons de notre petit «moi», de notre petit «je», jamais nous n'osons nous abandonner à ce qu'il y a de plus grand que nous. Nous croyons que nous sommes le centre de notre petit univers, que nous pouvons posséder les autres et même la terre entière, nous ignorons que nous baignons dans une mer d'énergie et que nous sommes à la fois le rien et le tout de cette mer de lumière et d'amour. Nous ignorons même qu'elle existe, tellement nous sommes absorbés par notre histoire et nos guerres intestines.

Je serre les dents, je serre les mains sur le volant. Combien je trouve difficile le retour sur cette terre! Là-haut, c'est si différent! Comme j'aimerais pouvoir communiquer ce avec quoi je suis en contact lors de mes visites, les conversations télépathiques que j'ai avec des êtres de lumière qui me parlent de leur monde et qui me parlent du nôtre aussi, comme j'aimerais pouvoir dire aux humains qu'il existe autre chose que le trottoir de nos vies, comme j'aimerais parler de l'urgence que je ressens depuis ces dernières transes, l'urgence de nous transformer, de nous éveiller, de nous sortir de la misère de notre petite personnalité.

Je constate que mon auto m'a conduite au Château Bonne Entente où je réside. J'arrête le véhicule, la neige commence à tomber, je regarde l'étang de l'hôtel qui se couvre de blanc, et quelques vers de *Soir d'Hiver,* d'Émile Nelligan, me viennent en tête :

Ah! comme la neige a neigé!
Ma vitre est un jardin de givre.
[...]
Tous les étangs gisent gelés,
Mon âme est noire : Où vis-je? où vais-je?
[...]

Une question surgit, brutale, en moi : comment, connaissant ce que je connais, puis-je encore m'identifier à ma misère et me sentir séparée? Je prends conscience que je suis loin d'avoir intégré mon contact avec l'au-delà et les Anges, et je suis déchirée entre ma nature humaine et ma nature divine. Je suis encore séparée...

Je regarde ma montre, il est déjà 15 h 15, je devrais être à me préparer à la conférence que les Anges vont donner ce soir, plutôt que de me nourrir de pensées existentielles.

Arriverai-je à faire le vide? Tel est le réel défi avant chaque conférence : arriverai-je a être un bon canal? Je suis loin d'en être certaine; je me sens dans un drôle d'état, comme si j'étais en décalage énergétique, à moitié en haut et à moitié sur terre.

J'entre dans ma chambre. Je la trouve sécurisante, comme un cocon où il est bon de se réfugier. Je me sens seule au monde, la neige qui tombe rend encore plus aigu ce sentiment d'isolement. J'appelle le standard, demandant de bloquer tous les appels. Je commence mon rituel de préparation : l'encens, la bougie, la méditation, la prière.

«Dieu aidez-moi à être un canal pur».

Je me centre sur cette demande, je deviens cette demande, je me fonds à cette demande. Je ferme les yeux, je commence mon exercice respiratoire : j'inspire par le nez pendant vingt secondes, j'expire par la bouche pendant dix secondes, je retiens mon souffle pendant quatre secondes, je recommence... Je sens mon corps se détendre, mes pensées existentielles me quittent petit à petit, le visage angoissé de Serge se fond avec le prana qui me pénètre, l'énergie commence à circuler dans mes cellules. Je me connecte maintenant aux Anges, je leur ouvre mon canal dans un état d'humilité, d'amour et de prière; je leur demande de descendre en moi, de purifier mon canal pour qu'ils puissent transmettre totalement ce qu'ils ont à transmettre sur le thème de la conférence de ce soir, l'amour. Cet état créé, je complète mes respirations et je m'assois en position de méditation. Lorsque je reviens, il est 16 h 30, je me fais couler un bon bain chaud.

La présence des Anges est quasiment palpable dans la

pièce; je leur souris. Ils commencent à me transmettre ce dont ils vont parler. Mon esprit est clair et libre, et est totalement envahi par leurs vibrations; j'entends leurs mots, leur voix, leurs intonations. Le contenu de la conférence se déroule à l'intérieur de mon cerveau, comme si ce dernier était devenu le contenant de leur message. Les Anges me préparent à la conférence, mais ce soir cette préparation est difficile. Je tente de ne pas juger le message qui se coule en moi, toutefois, ce qu'ils me transmettent sur l'amour est tellement différent de mon expérience de l'amour que j'ai soudainement peur. Je mets ma tête sous l'eau, je la laisse flotter, je parle aux Anges :

«Hé! les Anges! vous ne pourriez pas baisser le ton ou diminuer le volume, ou peut-être me donner une petite pause?»

Pour toute réponse je ressens une peur qui m'envahit sournoisement. Plus le temps s'écoule, plus mes muscles se tendent, ma respiration se fait plus courte, ma poitrine se resserre, je fais de l'angoisse.

«Tu n'es pas à la hauteur d'un tel message, tu ne connais même pas ce qu'est l'amour, encore moins l'amour incon- ditionnel. Regarde toutes les limites que tu mets à aimer... et Serge qui souffre de ta séparation, tu disais l'aimer! et cette âme que tu dis «sœur» pour qui tu ne ressens aucune attraction terrestre sauf spirituelle... est-ce ça, l'amour? »

La voix de mon ego est dure, elle me fait mal, elle me heurte; je me sens à la fois dans le néant et sur un champ de bataille.

«De plus, cet homme, cette âme, lui, il ne t'a pas reconnue, toi, tu l'as reconnu... mais lui, il ne t'a pas reconnue. Encore une fois, tu te racontes des histoires. Il est parti pour l'Inde et toi tu es là, tu poireautes, tu attends qu'il se présente de nouveau dans ta vie; peut-être qu'un jour il osera te reconnaître, pendant ce temps tu sèches en te racontant des histoires spirituelles d'âme sœur. Serge, lui qui t'aime tant, et qui souffre... Tu crois connaître ce qu'est l'amour...»

«Assez!» je crie à mon ego dans ma baignoire.

Je sors la tête de l'eau, elle est extrêmement lourde, j'ai mal au cœur. Je tente de faire taire cette voix maudite, mais la peur m'envahit de plus belle. Je sors de mon bain, j'ai la nette impression que je n'arriverai jamais à me mettre en transe. Mon cœur se met à palpiter, et j'ai froid. Je m'enroule dans une couverture pour m'allonger au sol.

Mais qu'est-ce qui se passe? J'ai de la peine à me poser cette question tellement je suis captive de cet état. Je tente de me ramener à un degré de raison, je n'y arrive pas, la peur me paralyse; plutôt que de me battre avec elle, je choisis d'entrer dedans. Malheureusement, au lieu de diminuer, elle augmente. J'étouffe, j'essaie de me parler : de quoi as-tu peur, Marie Lise? entre dans la peur, entre dans la peur, va voir ce qu'il y a au fond, va...

«Mourir! je vais mourir! je sens que je vais mourir, c'est pourquoi j'ai si peur.»

L'impression se transforme en certitude.

«Je suis certaine de mourir. Ce soir, je meurs....»

J'ai une envie folle de me lever et d'appeler mon directeur, Monique, pour lui demander de surveiller mon corps physique pendant la transe de ce soir. J'ai la certitude que je vais mourir en état de transe, que je ne reviendrai plus, que je vais quitter à jamais.

Malheureusement, je ne peux pas bouger, je suis figée au sol par la peur, l'angoisse, l'angoisse de la mort. Une partie de moi tente de me raisonner, elle n'y arrive pas. J'ai peine à respirer, j'étouffe. Une voix intérieure me dit d'abandonner, de m'abandonner. J'abandonne, je parle à la Source :

«J'accepte de mourir, j'accepte de mourir, j'accepte de mourir, si c'est ce que vous désirez, j'accepte de mourir.»

Une grande sensation de calme commence à monter en moi pendant que je continue à répéter ces mots, comme un mantra :

«J'accepte de mourir. J'accepte de mourir.»

Le calme continue de se répandre en moi... je me sens mourir... la sensation est douce... je meurs... il n'y a plus de séparation... il n'y a que la douceur de la mort... puis, très clairement, me vient la révélation que je meurs à mon ego... Mais oui, c'est ça! je meurs à mon ego, je meurs à mon ego! Cette sensation est si douce à mon âme... je me laisse aller à mourir...

Je ne sais pas combien de temps s'est passé à vivre cet état de transcendance. Mon corps est encore calme, la peur a fait place à un sentiment de force, de sérénité et d'unité avec le divin. J'ai des fourmillements partout. Mon enveloppe physique semble être un profond réceptacle d'énergie. Je me sens plus enracinée que le sol lui-même. Quelque chose en moi s'est transformé, je ne suis plus la même. Je suis maintenant prête à vivre la rencontre avec les Anges. Toute cette énergie me servira de support à quitter encore une fois le plan terrestre, ce soir... On a nettoyé mon canal...

Il est 19 h 30, je suis assise devant approximativement deux cents personnes. Ils méditent. La qualité énergétique des participants est bonne. Je me sens supportée par leur amour pour partir en transe. Je jette un dernier regard sur la salle et, à mon tour, je les enveloppe d'amour, je prie intérieurement, je remercie la Source d'être son canal. Je me prépare à fermer les yeux, je ferme les yeux. Tous mes sens sont aux aguets, je vois l'énergie de la salle, elle est lumineuse, mes oreilles captent un silence, il est enveloppant. Mon corps se sent sécurisé par la douce présence de mon directeur de transe, à ma droite, et de Lucie, l'organisatrice de la soirée, à ma gauche. Je connais la vibration qui émane de leurs corps, je sais qu'ils sont là pour me protéger et aussi pour capter l'énergie des Anges : des paratonnerres, qui empêchent ainsi d'épuiser mon corps physique. Je les sens centrées dans un état de recueillement. Je vérifie une dernière fois par mes sens internes l'état de recueillement de la salle, il est toujours satisfaisant pour que je puisse quitter en toute sécurité. Je me prépare donc à quitter. Mon rituel de départ se déroule à l'intérieur de moi, puis vient le moment où je suis vraiment prête à partir, à m'abandonner; je donne le signal au directeur. À partir de ce moment, plus rien ne m'appartient, tout repose entre les mains de Dieu et du directeur. Sa voix me parvient dans le lointain; je la sens calme, posée, recueillie. Son induction, faite de prières, est remplie d'amour et cet amour m'ouvre, m'inspire. Je m'abandonne encore plus, je me sens m'élever.   Viennent les Anges, je sens leur lumière qui me pénètre par le chakra couronne, et qui descend en moi. La voix du directeur se fait de plus en plus lointaine, je me sens aspirée par l'Amour, la

Joie pénètre maintenant tous mes chakras, je suis de plus en plus dans un état de béatitude. Ce soir, cela m'est encore plus palpable; je souris aux Anges, je les salue, je les remercie d'être là, je leur cède la place, je m'élève de plus en plus, je me fonds, je me fonds, je m'élève, je me fonds, je deviens totalement cette lumière... Je suis cette lumière... je suis accueillie par des êtres de lumière, ils m'entraînent loin, très loin, et je me sens en sécurité.

Je me retrouve dans un large groupe, je reçois des enseignements. Les êtres de lumière qui sont là avec moi sont des guides, aussi d'autres humains qui, ayant quitté leur enveloppe physique, utilisent comme moi leur corps de lumière pour être présents aux enseignements. On nous informe de ce qui se passe sur terre : la guerre... la guerre à venir... les batailles, la noirceur, le non-amour; tout le temps qu'on nous enseigne télépathiquement ceci, on nous fait aussi voir des images de ce qui se passe sur la planète terre, les différentes tensions, les vagues de souffrance, la douleur, le non-amour, l'intolérance, le pouvoir... le pouvoir. Nous continuons de recevoir les enseignements. À un niveau, il ne m'est pas permis de les comprendre comme je les comprendrais sur terre, mais je sais que je les comprends. Les grands maîtres sont là, à la fois les maîtres spirituels qui vivent sur notre planète, et les autres. Nous sommes tous dans un état de recueillement, d'amour et de non jugement de ce que l'on nous transmet. Il nous est désigné à chacun nos missions respectives, que nous connaissons déjà, mais on nous les répète, comme si on nous encourageait à poursuivre. En même temps que je suis consciente de tout ceci, je suis totalement éblouie par la lumière dorée qui est devant moi et qui m'absorbe. Les enseignements semblent venir de cette lumière dorée à laquelle nous sommes tous fusionnés, et qui est en même temps partout. C'est merveilleux, je voudrais rester, mais on me dit que c'est le moment de revenir et que je me souviendrai d'une infime partie de ce que j'ai reçu. Je salue les êtres de lumière qui m'entourent et je me prépare à revenir.

Je suis aspirée à une vitesse vertigineuse le long d'une corde, je descends le long de cette corde, je la suis, j'aper-çois la nuée d'Anges qui m'attendent, je les reconnais, c'est le groupe qui parle à travers moi, ils m'accueillent et m'aident à atterrir en douceur, ils m'enveloppent de leurs ailes éner-gétiques, ils me rajustent, je ne comprends pas vraiment ce qu'ils font mais je sais qu'ils m'ajustent pour que la rentrée dans mon corps physique ne soit pas trop violente, ils me disent que les enseignements reçus serviront dans ce qui est à venir. Encore là je ne saisis pas vraiment, mais je n'ai pas le temps de poser de questions car je me dois de me préparer à entrer dans mon enveloppe physique. Les Anges m'infor-ment qu'ils sont satisfaits de leur rencontre avec les humains et que l'échange s'est passé comme il le fallait. J'entends la voix de Xedah qui dit : «Que la Source soit avec vous». Je la vois donner de l'énergie à mon enveloppe physique, je sais que c'est le moment de la rentrée, je salue les Anges, et je me prépare... moment de perte de conscience... puis je constate que je suis dans mon enveloppe physique, mon corps est pris comme dans un pain, ma bouche est pâteuse, mes yeux sont lourds, mes jambes et mes pieds sont endoloris. Je tente de respirer, je révise toute les parties de mon corps, vérifiant si je suis totalement là. Mon cœur déborde d'amour, je sens la salle, il y fait chaud, les vibrations de la salle sont élevées, il y a plein d'amour, plein de lumière, c'est l'éclatement... Les yeux toujours fermés, je sens des gens qui pleurent d'émotion, d'autres qui sont dans un état de béatitude. Je remercie les Anges de leur travail sur terre, je me sens déborder d'amour... Je fais un effort pour ouvrir les yeux, je vois tout embrouillé. Monique me touche, elle m'aide à revenir :

— Marie Lise, ça va?

Je fais un effort pour parler.

— Oui, ça va...et toi, est-ce que ça va?

— Marie Lise, c'était extraordinaire! si tu savais...

La voix de Monique est remplie d'émotion, je sais qu'elle se retient pour ne pas pleurer. Je pense intérieurement :

«Si tu savais ce dont j'ai été témoin...»

Je me tourne vers Lucie. À voir ses yeux remplis de joie, je comprends qu'elle s'est beaucoup amusée avec les Anges. Je regarde les gens devant moi, cela me fait toujours drôle de me réveiller devant deux cents personnes, je n'arrive pas à m'y habituer...

— **T**u sais que les Anges m'ont demandé de te laisser aller...

Je regarde Serge directement dans les yeux. Nous soupons tranquillement à la maison, et le climat entre nous est tendre; depuis notre séparation, les sujets de discussion qui étaient tabous ne le sont plus. Je le sens plus réceptif, moins sur la défensive.

Serge poursuit, comme s'il avait attendu que ces mots aient un impact sur moi.

— Lors de notre séparation, tes Anges m'ont demandé de te laisser aller. Ils m'ont expliqué qu'il n'y avait pas vraiment de séparation. C'est étrange... plus je médite sur cela, plus je crois comprendre. Ils m'ont aussi expliqué ce pourquoi nous devions nous séparer. Je commence à le comprendre. De toute façon, Marie, je t'aime assez pour te laisser aller.

Ces mots me touchent. Je pleure. Jamais dans ma vie je n'ai vécu autant d'amour en me séparant. Je me sens comprise, respectée, aimée. Je pleure de plus belle. Serge me prend la main.

— Oh! Marie, s'il nous était donné de tout comprendre... En lisant la lettre que tu m'as écrite, j'ai compris que je ne pouvais pas t'accompagner dans ce que tu as à vivre avec les Anges. Je le comprends, je le respecte, je te laisse aller...

Je regarde Serge pleurer devant moi; nous pleurons ensemble.

— Serge je t'aime tellement! il me fait tout drôle de t'avoir quitté. Il n'est pas facile pour moi de poursuivre mon chemin, d'être assurée que je ne me trompe pas, de dire enfin oui à qui je suis. Je ne peux plus me cacher, je ne peux plus me permettre de vivre en ayant à me défendre de ce que je vis. Je mérite d'être accompagnée dans ce que j'ai à vivre avec les Anges, je mérite ceci...

Le ton de ma voix est devenu insistant, comme si j'essayais de m'en convaincre moi-même. La sonnerie du téléphone nous fait sursauter. Je ne veux pas répondre, mais je m'y sens poussée.

— Bonsoir, est-ce que je pourrais parler à Marie Lise?

— C'est moi, dis-je, en m'essuyant le nez.

— Bonsoir, c'est Robert. Je suis arrivé.

J'en ai le souffle coupé. Mon âme sœur qui m'appelle au moment même où je suis à affirmer ce que je viens d'affirmer. Mon cœur fait des bonds. Quelle synchronicité! Il n'y a pas de hasard, l'univers me renvoie une confirmation. En silence, je savoure ce moment, je ne crois plus au hasard depuis bien longtemps; mon chemin de vie est bâti de synchronicité en synchronicité. Robert sait-il que nous sommes qui nous sommes l'un pour l'autre? Ces pensées déferlent rapidement dans mon cerveau.

Robert poursuit : est-ce que tout va bien?

Le silence a dû être long, car Serge aussi me regarde en se demandant ce qui se passe.

— Oui, euh... tout va bien.

Robert poursuit

— Je suis arrivé aujourd'hui, j'ai pensé t'appeler.

— Comment a été ton voyage?

— Très enrichissant : j'ai fait du Reiki pendant les quatre semaines, Gurumayi m'a posté à la clinique de l'ashram à traiter des gens. Et toi?

— Oh moi! ma vie continue de se transformer rapidement. Une chance que j'ai des confirmations sur ma route, il y aurait de quoi se perdre!

Robert rit. J'aurais envie de lui dire que je l'attendais en essayant de ne pas l'attendre, et que je n'ai pas trop réussi... Je ne peux pas le lui dire... il ne sait pas où il se situe par rapport à moi. Je dois le lui laisser découvrir.

Nous sommes assis dans l'auto. Dehors, il neige. Nous venons d'acheter la nourriture pour notre repas du soir. Je suis encore sous l'impact de l'initiation que Robert m'a donnée cet après-midi. Je suis contente de ne pas avoir à conduire.

— Est-ce normal que l'initiation me fasse tant d'effet?

— L'initiation au niveau II du Reiki est très puissante. Elle apporte un haut niveau de désintoxication...

Pendant que Robert continue de me parler du Reiki, je me demande si c'est l'initiation qui stimule autant mon chakra couronne ou encore si c'est sa présence, ou les deux ensemble? Lorsqu'il m'initiait, je sentais que l'énergie du Reiki stimulait fortement la kundalini en moi, la stimulant tout en l'équilibrant, comme si le maître Reiki, par l'ouverture qu'il créait dans mes centres d'énergie, facilitait le passage de l'énergie en moi. Je continue ma réflexion à haute voix.

— Je ne sais pas si cela va être aussi fort que l'intervention des guérisseurs philippins. Je sens en ce moment une poussée de lumière en moi... ce qui est différent, c'est que je vais pouvoir utiliser mes mains pour me traiter et traiter d'autres gens. Je vais utiliser cette lumière que je ressens si forte, je vais la faire circuler... je te remercie de m'avoir initiée.

Je suis à préparer notre repas. J'ai les mains tellement pleines d'énergie, grâce à cette ouverture des chakras, que j'échappe les objets que je prends. Je me sens dans un état de profonde sérénité, je regarde Robert qui prépare le feu dans la cheminée. Il ne sait rien de nous deux : je suis celle qui l'a invité à donner du Reiki à Montréal, c'est tout. Moi, je sais, je sais que nous avons beaucoup à accomplir ensemble si nous le choisissons, je me sens la gardienne d'un secret que je ne peux transmettre. Quand pourrais-je lui dire qui nous sommes l'un pour l'autre?

Je continue à le regarder, comme si j'essayais de comprendre les multiples sensations que je ressens en sa présence... c'est vraiment une expérience à l'opposé de tout ce que j'ai connu avec les autres hommes de ma vie. Je ne le désire pas sexuellement, je le désire spirituellement. C'est à n'y rien comprendre et c'est, surtout, tout à fait nouveau. Est-ce qu'un jour je sentirai quelque chose d'autre envers cet être? Je n'ai pas encore prononcé le vœu de célibat... j'ai besoin de vivre ma sexualité pour m'enraciner, et je suis loin d'être prête à la sublimer.

123

— Tu sembles bien songeuse...

— Oui, je pense à nous deux...

Je ne sais pas comment lui poser la question

— Crois-tu que nous ayons à faire un travail ensemble?

— Je sais que nous sommes des âmes sœurs, mais je ne sais pas quoi faire avec ça.

Sous le choc de sa réponse, j'en échappe la casserole que je tenais dans ma main.

— Tu le sais? Tu le sais? Depuis quand le sais-tu? et qui te l'a dit?

Robert éclate de rire.

— Je le sais depuis deux jours. C'est le fait d'être en contact avec tes vibrations, cela m'est monté pendant que je t'initiais au Reiki. Je ne voulais pas te le dire parce que je ne sais pas quoi faire avec ça, je ne connais rien sur les âmes sœurs.

C'est à mon tour de rire.

— Je ne voulais pas te le dire non plus...

Nous nous regardons, un peu gênés. J'ai l'impression d'assister à un mariage organisé par des parents célestes. Nous sommes de purs étrangers l'un pour l'autre mais, semble-t-il, nous ne le sommes pas au niveau de nos âmes.

— Tu ne trouves pas que cela fait cliché?

Je regarde Robert. Que répondre à ceci? oui, c'est vrai, ça fait cliché du Nouvel Âge.

— C'est beaucoup plus qu'un cliché, Robert. Tu te présentes dans ma vie au moment même où je transporte en moi toujours la même prière, «Je consacre totalement ma vie à Dieu», au moment même où j'ose enfin dire oui à ma nature profonde, où je choisis de ne plus me cacher, où je demande à la Source que la personne qui doit m'accompagner, qu'elle soit homme ou femme, soit une personne qui n'a pas peur de sa propre spiritualité. Au moment même où je choisis que ma vie soit un miroir direct de mon essence, j'en suis rendue là, j'en suis rendue à me fondre au divin en moi et tout autour de moi. Ma vie ne m'appartient plus, elle appartient à quelque chose de plus grand que moi, à Dieu, tout simplement. Je sais cela peut sembler très cliché ou très hors réalité ou très sectaire ou très je-ne-sais-quoi, je m'en fous, c'est ce que je ressens, c'est ce qui me nourrit, c'est là où je suis. Ainsi, il n'y a rien de surprenant que tu ne sois pas mon type d'homme, que je ne sache pas si un jour je vais te désirer sexuellement parce que nous nous sommes rencontrés, non pas pour nos ego mais pour servir nos âmes et notre évolution avec la Source... Tu comprends que, pour moi qui n'ai connu que des relations passionnelles, déchirantes, langoureuses, etc... tu n'as qu'à imaginer le reste car je crois que tu connais, notre relation est à l'opposé même du cliché... Je ne sais pas ce que nous avons à accomplir ensemble, mais je sais une chose : c'est que nous devons nous côtoyer pour que cette réalité se manifeste. De plus, je suis maintenant libre et toi aussi... C'est à nous de choisir, tout s'offre à nous, nous avons tout à bâtir, tout, il n'y a justement plus de cliché, ni de structure... Qu'est-ce que tu en dis?

— Je dis oui.

$\mathbf{L}$e miroir me renvoie une image de moi-même fatiguée. Il est 21 heures, je me sens fatiguée comme s'il était minuit.

— Ton corps est épuisé, ma vieille, qu'est-ce que tu attends pour le reposer?

Je me parle à haute voix. Je sais que je n'aurais pas dû accepter l'invitation de ces amis. Les gens autour de moi sentent que je vis de grandes transformations et ils veulent savoir. J'ai l'impression de m'épuiser à transmettre une énergie aux autres que je n'ai pas moi-même en ce moment. J'ai plutôt besoin de toute mon énergie pour vivre ce que je vis et je suis là à la disperser, en racontant ce que je vis aux autres. Je manque de sagesse.

Il y avait beaucoup de tension au Centre, aujourd'hui. Nous avions tous l'impression de transporter la guerre du Golfe qui est à venir, peut-être même dans quelques heures.

Je quitte la salle de bains pour aller au salon éteindre les lumières. Une sensation déplaisante m'arrête. J'ai peur. Je ressens une présence, là, devant le foyer. C'est très subtil... je regarde si tous les objets sont en place, le système de son, la télévision... rien n'a bougé. Je continue de sentir une présence et une mauvaise odeur. Je n'ose pas descendre la marche qui sépare la cuisine du salon, je me sens bloquée. Ça ne peut être les ordures, je les ai sorties ce soir avant d'aller souper, et il n'y avait pas d'odeur. Tous mes sens sont aux aguets, j'essaie de me rassurer en me disant que je dois halluciner, je regarde encore l'endroit devant le foyer, je m'écarquille les yeux, je tente de regarder avec mon autre vision, ma vision interne. Je vois un gros paquet d'énergie noire... Non, non, je hallucine, je suis fatiguée, j'invente des histoires. En même temps que l'hémisphère gauche de mon cerveau essaie de me convaincre que ce que j'ai vu n'est pas réel, je ressens de plus en plus de peur, comme si une autre partie de moi savait que c'est réel.

Je ne ferme pas les lumières, je choisis d'aller me coucher immédiatement, je ferme la porte de ma chambre, laissant Mimi et Monsieur, mes deux chats, seuls, livrés à eux-mêmes. Dans ma chambre, je me sens mieux; je fais mon rituel de prière, je m'allonge, les mains sur mon plexus et mon cœur, je m'endors en me faisant du Reiki. Je demande à mon corps de se reposer, je le sens fiévreux. Tout à coup, je me sens si vieille, si épuisée comme si je vivais depuis des siècles...

La sonnerie du téléphone me tire d'un sommeil profond. Je reconnais la voix de Serge.

— Marie, c'est Serge. Excuse-moi de te réveiller; ça ne va pas du tout.

Sa voix est anxieuse, son souffle est saccadé.

— Serge, qu'est-ce qui se passe? qu'est-ce que tu as?

Je me sens si fatiguée, je ne suis pas contente de me faire réveiller ainsi.

— J'ai peur, Marie, j'ai peur. Je ne sais pas ce que j'ai, j'ai peur, je fais de l'angoisse, j'étouffe.

— En effet, tu as l'air mal en point. De quoi as-tu peur, Serge?

— Je ne sais pas... cela m'a pris tout d'un coup. Je suis incapable de dormir, je n'ose pas te le dire j'ai peur pour toi... j'ai peur pour nous deux...

Mais de quoi parle-t-il? est-il en train de halluciner lui aussi?

Serge continue.

— Je sens des choses.

— Mais, Serge, quelles choses?

— Je ne sais pas... c'est toi l'experte dans ces choses-là...

Serge sent plus de choses qu'il n'ose avouer, mais, ce soir, je suis étonnée et en même temps je sens l'impatience me gagner, je veux dormir. Je fais un effort parce que je ressens qu'il panique vraiment. Je l'entends fumer au téléphone.

— Écoute, essaie de contrôler ta peur. Allonge-toi, fais des respirations, médite, n'essaie pas de la bloquer, laisse-la circuler.

— Est-ce que tu vas bien? J'ai essayé de t'appeler ce soir, tôt, tu n'étais pas là, je suis inquiet... Laisse-moi venir chez toi.

— Non!

La réponse éclate comme une explosion.

— Je suis très fatiguée, Serge, je ne veux pas que l'on dorme ensemble, cela ne nous donnera rien. Au fait, quelle heure est-il?

— Il est 1 h 20.

— Est-ce que la guerre est déclarée?

— Non; j'écoute la télévision depuis deux heures et la guerre n'est toujours pas déclarée. Ne t'inquiètes pas, je ne crois pas que la guerre va être déclarée.

— Serge, je ne sais pas comment t'aider, j'ai besoin de dormir, je me sens épuisée, je me sens impatiente; s'il te plaît, laisse-moi dormir.

— Bon, bien... alors, bonne nuit.

Il raccroche. Je laisse tomber ma tête sur l'oreiller, je ne suis pas d'une grande aide. Je me sens tellement lasse. Il faut que je dorme, il faut que je dorme, je n'en peux plus... et Robert qui est si loin, si loin, à mille lieues, en République Dominicaine. Comme j'aimerais qu'il me serre la main! comme j'ai besoin de lui en ce moment! Je me sens partir dans un état de semi-conscience.

J'entends le piano qui joue, comme un piano mécanique. Tous les objets du salon tournent, virevoltent sur eux-mêmes. C'est hallucinant, la force de l'énergie qui manipule ceci est d'une puissance, elle provient d'une spirale noire devant le foyer. C'est ça, c'est donc cela que j'ai vu avant de me coucher. Le piano joue de plus en plus fort — je dois rêver — je suis certainement dans un rêve, oui, mais si je rêve comment se fait-il que je sente mon corps dans ma chambre? Comment se fait-il que je sois incapable de bouger? que je sois écrasée sur le lit? Est-ce que je rêve? Est-ce un cauchemar? Le mouvement empire. Je sens mon corps basculer, comme si on essayait de le faire bouger... mais non, ils ne réussissent pas, c'est ce que j'observe; ils ne réussissent pas... Mais qui ils? Est-ce que je rêve? Mon corps est de pierre, il est solidement ancré dans mon lit. C'est au tour de la vaisselle de sortir des armoires, de virevolter dans la cuisine. Les chats sautent sur les murs partout dans le passage, partout, ils sont comme fous. Une chance que la porte de ma chambre est fermée... ils ne peuvent pas entrer, mais qui ils? Est-ce que je rêve? Si je rêve, il faut que je sorte de mon rêve maintenant, maintenant... je veux sortir de mon rêve, c'est un mauvais rêve, je n'aime pas ce rêve. Le piano joue de plus en plus fort, les murs vont s'arracher, la violence de cette force est terrible. J'ai peur, je n'arrive pas à sortir de mon rêve... à moins que ce ne soit pas un rêve! Mon Dieu, s'il fallait que ce ne soit pas un rêve! et que l'on soit en train de m'attaquer... Mais oui, c'est ça, ils veulent prendre mon corps. Ah, non! ils ne m'auront pas; non, ils ne m'auront pas. J'appelle la lumière, je suis la lumière, je suis la lumière, ne me touchez pas, ne me touchez pas. Sortez de la chambre, sortez de la chambre, ici je suis protégée. Tous les objets continuent à voler dans la maison, je sens qu'ils sont sortis de ma chambre, je transpire... mon corps transpire, quel rêve! Si je pouvais au moins en sortir! Mais non, je n'y arrive pas, et Serge qui vient de m'appeler. Pourquoi ne m'appelle-t-il pas maintenant? Il pourrait me sortir de mon mauvais rêve. Je vais tenter d'appeler à l'aide. Bouge ton bras! allez, bouge ton bras, le téléphone est juste là, je n'arrive pas à bouger, mon corps est rivé à mon lit, il est de pierre. J'entends maintenant hurler de l'autre côté de la porte de ma chambre. Le piano, qui joue ce son mécanique, c'est hallucinant. Il faut que je fasse quelque chose. Il faut que je me lève. Mais non, mon corps ne peut pas. Concentre-toi, trouve une solution, ici tu est en sécurité, la télépathie! C'est ça, je vais appeler Robert, et Lise, télépathiquement. Robert, Lise, à l'aide, à l'aide! Je suis prise, on m'attaque, venez m'aider, j'ai besoin d'aide, je suis prise, je ne peux pas bouger. Un temps s'écoule, je suis toujours rivée à mon lit, j'attends, je prie... Je vois Lise arriver à la porte avec une amie. Comment vont-elles faire? La porte est fermée à clef. Elles passent à travers la porte, mais oui, c'est vrai, c'est un rêve! Elles sont dans le couloir, elles contemplent la situation, elles analysent comment elles vont procéder. Lise me dit téléphathiquement que la situation est bien en main, je peux me rendormir, elles vont nettoyer la place, elles vont s'en occuper. Ouf! je suis sauvée, je suis sauvée, je suis sauvée... je me calme, je peux maintenant me reposer.

Je me réveille, je regarde l'heure. Il est 9 heures; cela fait longtemps que je n'ai dormi aussi tard. Je tente de me lever, et mes genoux et mes coudes sont raides. Hum! je n'aime pas cette sensation, c'est un mauvais signe, quelque chose ne va pas dans mes systèmes. Soudainement, le rêve-cauchemar me revient. Quel rêve! Je regarde la porte de ma chambre. Et si c'était vrai? J'ouvre prudemment la porte, je regarde dans le couloir, tout est calme, les minous accourent vers moi, tout joyeux. Je me sens moche, tellement lasse. Je m'approche de la cuisine pour constater que toutes les assiettes sont dans les armoires, la maison est remplie d'une lumière bienfaisante, je regarde l'espace devant la cheminée, il n'y a rien. J'ai dû rêver... mais quel rêve!

Le téléphone sonne,

— Allô, c'est encore moi; comment vas-tu?

La voix de Serge est mieux.

— Mal, je vais mal.

— Je t'appelle pour te dire que je me suis trompé : la guerre a été déclarée hier soir, une demi-heure après que je t'ai parlé, soit à deux heures.

— La guerre est déclarée?

— Ouais! c'est laid...

Je commence à me poser de sérieuses questions sur mon rêve... les prémonitions de Serge... l'inflammation dans mon corps...

— Eh bien! je la transporte dans mes genoux, la guerre, je me sens pleine d'inflammation, comme dans le temps...

Je m'arrête, je regarde l'image fatiguée que le miroir me renvoie.

— À moins que ce soit ma guerre intérieure que mes genoux transportent... Il faut que je te raconte mon rêve... j'ai vraiment eu l'impression d'être attaquée cette nuit...

Il y a foule au salon de la Santé. Étonnant, pour un vendredi matin. Je regarde Manon qui s'affaire à rendre le kiosque Nova, Approche Globale du Corps, plus attrayant pour le public.

— Puisque tu es là, Marie Lise, on devrait en profiter pour mettre ton livre bien en évidence sur la table d'exposition. N'es-tu pas l'auteure du livre et l'inspiratrice de cette approche?

Pour toute réponse, je lui esquisse un sourire et je continue à l'observer. Elle semble avoir de l'énergie pour deux : ses gestes sont précis, ses réponses au public pertinentes.

— Manon, ne trouves-tu pas difficile d'être dans ces endroits publics, avec ces néons et tout ce monde, toute cette énergie?

— Peut-être qu'à 16 heures cet après-midi j'en aurai assez et, de plus, je ne suis pas médium, moi. Au fait, j'ai apporté quelque chose pour le lunch...

Tout en continuant de me parler Manon s'assoit sur un tabouret et sourit au public qui passe et flâne devant les différents kiosques, à la recherche de la vérité, de la recettemiracle ou du produit qui transformerait leur vie.

— Est-ce vraiment bon, l'antigymnastique?

La question s'adresse à moi et vient d'une femme qui, tout en tenant mon dernier livre sur l'antigymnastique dans ses mains, et scrutant la page couverture, continue de me parler.

— J'ai vu une émission à la télé où une femme en parlait. Est-ce que c'est vraiment bon? bon pour moi?

Je me sens découragée à l'idée de lui répondre. La femme poursuit

— En faites-vous, vous, de l'antigymnastique?

J'entends Manon lui dire que je suis l'auteure du livre qu'elle tient et manipule.

— Ah! c'est vous! Bien oui! c'est vous que j'ai vue à la télé. Vous avez changé, je ne vous ai pas reconnue.

Et ça recommence! J'aurais envie de lui répondre que oui, j'ai changé, que mon histoire de cheveux est due à la rencontre avec les guérisseurs philippins, que ma séparation est due à la radicale prise de conscience qui a suivi, qu'en ce moment ma vie n'est que transformations, que je ne sais même plus répondre à une question aussi simple sur l'antigymnastique, que je ne sais même plus ce qu'est l'antigymnastique, tellement je suis fatiguée d'en parler, que je me pose de sérieuses questions sur ce que je fais dans de ce kiosque, si ce n'est la promesse que j'ai faite à mes associées d'y être, que je me sens comme une prostituée car je ne crois pas à ces salons de la santé, que la santé n'est pas un produit à vendre et que je me sens en ce moment malade, oui, malade. Je suis épuisée...

Je suis sauvée par Manon qui comprend rapidement que

je ne suis pas dans un état normal, et elle s'occupe de la dame. Je m'assois dans le fond du kiosque, je prends soudainement conscience que rien ne va plus : mon corps, depuis ce matin, est dans un état de fièvre que je reconnais à cause de mon ancienne vie d'arthritique; la fièvre, l'inflammation, mes deux genoux sont raides depuis cette nuit, depuis ce rêve, ce cauchemar, la nuit où la guerre a été déclarée; je n'ai pas vécu cet état depuis des années. Je sais que rien ne va plus.

— Manon, je m'en vais; veux-tu que j'appelle quelqu'un pour me remplacer? Tu ne peux pas rester seule au kiosque.

— Ne t'inquiète pas, Marie Lise, quelqu'un doit venir faire un tour; je vais lui demander de m'aider.

Son regard est inquiet.

— Je fais de la fièvre.

— Tente de te reposer pour demain.

Demain... tout en marchant dans le labyrinthe de la Place Bonaventure, je réfléchis aux deux conférences publiques avec démonstrations de mouvements qui m'attendent demain et dimanche. Dieu, aidez-moi, je me sens incapable de... Le froid glacial de janvier me fouette le visage, mes genoux semblent se figer encore plus, comme s'ils voulaient se protéger. Je vocifère intérieurement contre l'hiver québécois, je le trouve particulièrement dur cette année. En attendant que le feu de circulation change au vert, je regarde le ciel. Pourquoi ne pas m'avouer que ce n'est pas l'hiver, mais qu'en ce moment rien ne va plus?

Allongée sur mon lit, les genoux reposant sur un oreiller, je laisse Monsieur, mon chat blanc, prendre soin de moi.

Avec ses pattes de devant il ausculte mon ventre : il tâtonne, piétine, il me fait penser à un maître en Shiatsu qui diagnostique autour du hara. Puis il va lourdement s'installer sur une région de mon corps. Je ressens qu'il soutire, par son énergie et son magnétisme, le mal. Il est le médecin traitant. Mimi, sa sœur, semble remplir un autre rôle : elle vient se frotter à mon cou, s'installe à ma tête et me berce de ses ronronnements. Entourée ainsi de mes deux chats, je me laisse aller. Je n'ai plus de force... la fatigue est profonde, vieille, à la fois physique, à la fois psychique. Je ferme les yeux, je n'arrive même plus à respirer profondément. C'est un mauvais signe.

«Tu as dépassé tes limites»... la voix de mon médecin intérieur se fait entendre doucement : «Tu as besoin de repos, ton système nerveux est en changement, tu vis une grande phase de transformation physique et psychique, tu as besoin de te donner le temps de vivre ceci, de faire le point intérieurement, de prendre des décisions qui vont dans le sens de ta transformation. Cette énergie en toi est en train de te nettoyer profondément de tes structures mentales, émotives et même physiques, c'est ce que tu vis, donne-toi le temps, ne te disperse pas».

J'acquiesce intérieurement, mais j'ai peur. Je contemple avec un peu d'horreur mon état psychosomatique. J'ai peur que cela soit une rechute, et je veux m'endormir, comme la Belle au Bois Dormant, pendant cent ans, pour me réveiller dans les bras d'un Prince Charmant.

Ma voix, sur mon répondeur, me réveille; même cette voix est fatiguée. Il est 15 heures.

— Comment ai-je pu ne pas porter attention à cette

fatigue?

J'entends la voix chaleureuse d'une de mes associées qui demande de mes nouvelles. Je ne réponds pas, je veux me couper du monde. Le sommeil n'a pas rempli son rôle, l'état de mes genoux s'est empiré, ils ont encore enflé. Je me traîne jusqu'à la salle de bains pour me faire couler un bain. J'ai peine à entrer dans la baignoire creuse, mes genoux ne voulant pas fléchir. À l'aide de mes bras, je me laisse pendre pour me laisser tomber sur les fesses le plus doucement possible. Tous ces gestes, je les connais par cœur, je les ai répétés pendant des années, des années d'enfer, les années d'arthrite. Un cri d'horreur s'échappe de ma bouche : non! ce n'est pas possible! je hurle, je laisse ces lamentations sortir de mes entrailles, je pleure, je hurle de nouveau, je voudrais, comme par enchantement, me réveiller de ce cauchemar. Mon cerveau tire une équation : je suis en pleine rechute d'arthrite. Ce n'est pas possible. Je ne veux pas, je me défends de penser cela, mais qu'est-ce qui se passe?

Je regarde mes genoux, je les reconnais dans leur inflammation. Je me laisse aller à pleurer... je permets aux larmes de détendre mon état de panique. J'oscille entre deux niveaux de réactions en moi : mon médecin intérieur qui sait que ceci est passager, et un autre aspect de moi, plus superficiel, qui a peur et prend cet état pour acquis. Je tente de me ramener au moment présent. Vais-je être capable de sortir du bain seule? Mais oui, par la force de mes bras comme dans le temps... Je cherche à attraper le téléphone, près du bain. Je lance un S.O.S. à Lise, mon amie guérisseur : elle sera là à 17 heures. J'ai deux heures à attendre. J'appelle le Centre Nova : c'est le répondeur, tout le monde est au salon de la Santé. Je trouve tout dérisoire : depuis longtemps, je sais que je ne veux pas être à ce salon, je sens qu'on utilise ma réputation pour en mousser la publicité. Les organisateurs ont tellement insisté que mes associées et moi avons accepté de jouer le jeu tout en étant conscientes que ce n'est pas ainsi que les gens vont vraiment connaître l'antigymnastique. Nous y allons toutes à contrecœur et me voilà incapable de bouger dans mon bain. Quelle leçon!

Je regarde mes genoux, je comprends qu'ils disent tout simplement *non.* Non à la vie que je mène depuis des années... Je ne comprends pas tout, mais je pressens que de grands moments de vérité sont à venir dans ma vie, comme si cet état me permettait de crier que rien ne va plus dans la conduite de ma vie, comme si cet état me permettait d'actualiser encore plus rapidement le changement profond que je vis, cette poussée de lumière intérieure qui désintoxique tout sur son passage, qui m'aide à renaître.

D'un geste décidé, je prends le téléphone

— Monique, peux-tu me remplacer aux conférences? Je suis en pleine crise inflammatoire. Tu m'excuseras auprès des gens, tu leur diras que je suis malade et que je m'occupe de ma santé avant toute chose. Je ne peux pas me présenter au salon de la Santé, je ne suis pas en santé en ce moment...

Le répondeur a rempli sa fonction. Je me sens soulagée d'un poids, je respire profondément, je réfléchis à haute voix : peut-être que cet état inflammatoire est, contrairement à ce que je pensais, un signe de grande santé.

Je regarde ma montre, il est 6 h 10 du matin. En me rendant à la salle de bains pour me brosser les dents avant mon temps de méditation, je soulève un coin du rideau, j'interroge la noirceur matinale : où est la tempête qu'on annonçait hier? Le temps ne me répond pas; c'est aussi le silence total dans la maison. Robert dort-il encore?

Je m'installe dans ma pièce de méditation, mes genoux raides sur deux coussins. Mes mains reposent sur ces derniers pour les traiter pendant la méditation, et mon corps est enveloppé dans un châle d'hiver. Quel courage que j'ai de braver ainsi sommeil et froid pour méditer! Folie ou courage? Je ferme les yeux, je prends soin de communiquer à mon corps que c'est l'heure de la méditation; je ne veux pas tomber, ni dans un état de transe, ni dans le sommeil. Il semble avoir entendu, car je sens l'énergie de méditation qui s'installe tout doucement. Je me sens bien, même si mes genoux sont rigides et même si mon corps est fatigué. Je suis heureuse d'entrer dans mes profondeurs, d'établir le contact avec ce qu'il y a de plus intime en moi. L'état inflammatoire de mes genoux a créé chez moi depuis quelques semaines un désir d'intériorité encore plus grand. J'ai cessé de me disperser. J'assume ma solitude et certains choix que je sens pour un avenir prochain : quitter Nova et mes associées... mais c'est beaucoup plus que ceci, c'est quitter.... ce que je n'arrive pas encore à nommer. C'est pourquoi j'ai tant besoin de m'intérioriser.

Je commence mes respirations praniques qui m'aident à changer de niveau de méditation, je laisse la rétention du souffle stimuler l'énergie en moi, me faire basculer dans d'autres niveaux de conscience. J'entends :

«Accompagne Robert chez les guérisseurs philippins». Je respire encore plus profondément, pour vraiment clarifier mon canal intérieur et me rendre totalement disponible à cette information. La voix continue : «Fais-moi confiance, entends-moi, accompagne Robert, tu ne peux pas comprendre maintenant; aie confiance, les guérisseurs vont te recevoir...»

Je poursuis ma méditation, je suis encore certaine de cette information; je n'ai pas à comprendre, je choisis de suivre cette voix, elle ne m'a jamais trompée. Ma méditation se poursuit, et ce n'est plus qu'une voix qui me parle, mais un chœur, émanant de mon âme, comme une vague vibratoire. Je me sens subitement en contact avec quelque chose d'infiniment sacré en moi. Les larmes me montent aux yeux. On me fait sentir qu'un voile est sur le point de se lever sur ma réalité, que je suis en voie de découvrir des espaces infiniment plus vastes en moi. Des dimensions cachées sont prêtes à faire surface. L'énergie de ma méditation m'enveloppe encore plus, je pressens que cette journée sera importante. Le message reçu, je me retire de cet état.

Je me parle à haute voix : mais qu'est-ce qu'elle peut

bien vouloir dire par les guérisseurs vont me recevoir? Je n'ai pas de rendez-vous.

Emplie d'un sentiment de gravité, je me rends au salon pour réveiller Robert et l'informer que je l'accompagne dans son voyage dans les Laurentides. Je suis surprise par la scène que je vois. Robert est assis en position de méditation, son corps est secoué de soubresauts, comme parcouru par des vagues d'énergie.

«Qu'est-ce que je fais avec cet homme dans mon salon?»

Cette pensée surgit de façon brusque en moi. J'ai l'impression de vivre un drôle de rêve. Dehors, la blancheur de la neige contraste avec la couleur basanée de sa peau, ce qui donne à cette scène un air encore plus grand d'irréalité. Il semble avoir été téléporté là. Qu'est-ce que je fais avec cet homme dans mon salon? Selon ma logique, cela n'a aucun sens. Selon mes voix intérieures, tout se tient. Je m'assois pour mieux contempler cette âme sœur.

Âme sœur... ces mots ce matin me font frémir. Combien de fois ai-je cru rencontrer l'âme sœur et ce n'était que la projection du prince charmant, ou du sauveteur-héros de mon existence? En quoi Robert est-il différent? Je le regarde attentivement, je tente de comprendre, de percer ce mystère. Est-ce possible d'être attirée vers quelqu'un que par le chakra couronne plutôt que par le chakra racine? Ou bien je suis complètement folle, ou bien je suis, pour la première fois de ma vie, à connaître une relation qui dépasserait le niveau personnel et qui servirait à mon évolution transpersonnelle. Je ne sais pas... ce que je sais, c'est que je sens cette relation tellement vaste qu'elle peut prendre la forme qu'on voudra bien lui donner.

Robert sort de sa méditation et me regarde.

— Veux-tu que je te donne un Reiki sur tes genoux?

J'accepte avec un certain tiraillement intérieur. Pendant que je lui raconte ma méditation et le message de la voix, Robert impose ses larges mains sur mes genoux raides et froids. Je me sens soudainement si vulnérable, si petite. Ce n'est pas facile à vivre, mon ego se rebiffe; j'aimerais pouvoir être parfaite, en forme, devant cette âme. Je respire en profondeur, j'accepte ma bataille intérieure, je comprends que j'aie de la difficulté à le voir toucher la partie la plus vulnérable de mon corps, là même où j'ai souffert. J'entends la voix de Robert qui s'élève petit à petit pour me chanter un mantra. Tout doucement, sa voix me pénètre, je la laisse rejoindre mon cœur, je me laisse bercer par l'énergie de guérison qui émane de sa voix et qui passe aussi de ses mains à travers mes genoux. Cela me fait un bien immense, comme si je pouvais enfin me détendre au plus profond de moi-même, comme si je pouvais enfin laisser quelqu'un entrer dans la porte de mon cœur et m'aimer comme je suis dans toute ma vulnérabilité, dans toute ma douleur d'âme. Plus l'énergie d'amour circule en moi, plus je sens la douleur sortir de moi, tout mon être déploie un courage à accueillir cette douleur si profonde, vieille comme des siècles de vie. Le chant du mantra m'accompagne par sa douceur, mon corps semble se détendre encore plus, mon intérieur se calme, mes genoux semblent plus souples. Robert complète son traitement et s'allonge à mes côtés. Je me laisse encore bercer par l'énergie de guérison qui circule en moi et tout autour de moi. Je suis à découvrir, à expérimenter une autre forme de guérison. Je me sens à l'école de... je n'arrive pas à le nommer. Ce geste m'a ouvert à mon âme sœur; nous commençons à tout partager, *autant dans la douleur que dans la joie* — les mots des Transformers me reviennent — je le serre fortement dans mes bras, je constate que mes genoux sont plus souples. Dehors, la tempête est commencée, il est 8 h 10, nous avons peu de temps pour nous rendre chez les guérisseurs.

— Je ne sais pas comment tu fais pour conduire, c'est hallucinant.

Les flocons de neige semblent aspirer notre voiture dans un tunnel d'une blancheur éclatante. Avec mes yeux de myope, je n'y vois rien. Tout mon corps est tendu, aux aguets. Même si je n'ai pas le volant entre les mains, c'est comme si je conduisais l'auto.

— J'ai l'impression que l'auto ne touche pas vraiment la route, elle semble glisser sur la neige. Je n'aime pas cette sensation.

Je regarde Robert, je le teste.

—Est-ce que cela fait longtemps que tu as conduit en hiver? N'as-tu pas cette sensation que l'auto ne touche pas le sol, qu'elle glisse?

Cette fois, j'insiste. Je veux qu'il me réponde.

— Si tu avais le volant en main, tu n'aurais pas cette sensation. Veux-tu conduire?

— Non, pas vraiment. Toute cette neige qui arrive dans le pare-brise, c'est trop hypnotisant. Je risque de partir en transe. Je suis mieux de te laisser conduire.

Je soupire. J'aimerais pouvoir conduire, et je sais que je ne peux pas.

— OK, j'abandonne. Je me laisse conduire vers les guérisseurs philippins.

Cette réflexion s'exprime à haute voix malgré moi, mon ton est légèrement sarcastique.

— Quelquefois, les à-côtés de ma vie de médium me pèsent, dis-je, en tentant de me justifier.

Robert me prend la main en souriant. Je ferme les yeux, la blancheur de la neige m'éblouit. Je tente de détendre mon corps, je me concentre sur les guérisseurs. Que d'événements se sont passés depuis ma dernière visite chez les guérisseurs philippins en octobre dernier! Seulement cinq mois! Je soupire devant l'ampleur de la transformation : la lumière que Greg m'a transmise a définitivement déclenché un mouvement irrépressible. Une tornade s'est abattue sur ma vie! Je n'ai plus vraiment repensé à mon travail avec eux. Je ne sais pas si ma voie est d'agir auprès d'eux. Pâques approche, j'ai la possibilité d'aller aux Philippines les observer travailler, je n'ai pas encore pris de décision. Le souvenir de la voix entendue dans ma méditation refait surface : «Aie confiance, les guérisseurs vont te recevoir».

Je laisse cette phrase me pénétrer encore plus, puis soudainement... mais oui! je viens de comprendre! Les guérisseurs vont me recevoir aujourd'hui, c'est cela, je viens de comprendre. Ils vont me permettre d'observer leur travail. C'est ce que la voix tentait de me communiquer. Super! Comment n'y ai-je pas pensé avant? Encore faut-il que je le leur demande.

— Robert, vois-tu un inconvénient à ce que j'assiste au traitement que les guérisseurs vont te donner?

— Non, au contraire! Je suis content que tu m'accompagnes. Tiens! la tempête semble se calmer. Nous y sommes presque.

Je suis encore sous le choc de la prise de conscience, je me prépare intérieurement à leur demander d'observer le traitement, je sais que c'est une question délicate, car ils acceptent très rarement d'avoir des témoins à leurs interventions.

— Ne t'ont-ils pas déjà invitée?

Robert se permet de quitter la route du regard pendant quelques secondes pour me questionner.

— Oui, mais je crois que c'était pour les Philippines.

— Marie Lise, quelle est la différence entre ici ou là-bas?

— Tu as raison, je n'ai rien à perdre, je vais faire la tentative et risquer un refus.

Je regarde mon âme sœur. Robert ne semble pas anticiper le traitement, tellement il est concentré dans sa conduite automobile. Le décor qui nous entoure est féerique : la neige tombe maintenant tout doucement, l'auto continue de glisser sur la route. Décidément, tout contribue à rendre cette journée irréelle. L'entrée de la maison où séjournent les guérisseurs est remplie de magnifiques sapins qui semblent nous accueillir les bras couverts de neige. Dès que j'ouvre la porte, je reconnais l'odeur de la pommade qu'ils utilisent pour leurs interventions. J'ai soudain mal au cœur; encore une fois, je suis frappée par l'énergie qui se dégage des malades qui attendent d'être traités. Je cherche du regard Jimmy, l'assistant de Greg; je me sens de plus en plus déterminée à leur demander d'assister.

— Marie Lise!

Je reconnais cette voix, c'est celle de Jimmy. Il m'accueille les bras ouverts, comme les sapins de l'entrée.

— Tu as beaucoup changé depuis quelques mois. Regarde-toi, tu n'es plus la même.

Je prie intérieurement pour qu'il arrête de dire à haute voix les changements qu'il observe sur ma personne. Je décide de lui couper la parole pour lui chuchoter ma requête à l'oreille.

— Je vais le demander à Jimmy. Tu sais, nous ne permettons ceci que très rarement, me lance-t-il rapidement.

— Je sais.

Je regarde Jimmy entrer dans une pièce. Robert se penche vers moi pour me dire à l'oreille :

— À la grâce de Dieu.

— Oui, à la grâce de Dieu.

Jimmy revient et, à voir son sourire, je sais que Dieu a répondu à ma prière.

— Tu vas entrer par la *back door,* me chuchote-t-il de son français hésitant.

—Pour que personne ne te voie.

J'entre par la porte arrière, mon âme sœur par la porte avant. Nous voilà tous les deux présents devant Gregory. Je cherche du regard une chaise pour m'y installer et observer à distance pour éviter tout danger d'interférer dans le traitement. Je regarde Gregory échanger avec Robert, ils parlent de Reiki. Jimmy s'affaire à préparer les serviettes, la table, l'eau dans le verre, etc... Je réalise soudainement que je suis dans un lieu sacré. Je me sens emplie d'un sentiment de respect et de recueillement.

— Tu peux maintenant venir, Marie.

Gregory me regarde en me faisant signe d'avancer vers la table. Sans trop comprendre, je m'approche et il me tend le verre qui habituellement reçoit les blocages matérialisés par le guérisseur.

— Tu vas te mettre à la tête de ton âme sœur en lui imposant une main sur le troisième œil, pour le calmer et lui transmettre de l'énergie; en même, temps tu vas suivre mes mains avec le verre d'eau et m'assister.

Je n'en crois pas mes oreilles. Gregory commence ses prières sans attendre mon acquiescement. Je cherche le regard de Jimmy pour qu'il m'aide. Lui aussi est tout concentré à installer sur l'abdomen de Robert la serviette blanche qui sert au diagnostic. Je décide de fermer les yeux pour reprendre mes idées : tout va trop vite pour moi.

— Marie Lise, ce n'est pas le temps de fermer les yeux.

Jimmy me lance un regard insistant. Je remarque que Greg se prépare à opérer; il prie maintenant à haute voix. Je le vois devenir un avec la Source, je vois la lumière qui le pénètre, je vois ses mains devenir des outils de lumière. Ses mains, son corps, son âme ne font qu'un avec la Source divine. Comme un samouraï, il se prépare à poser le geste juste. Tout en continuant de prier, il plonge ses mains dans l'abdomen de Robert. Je n'en crois pas mes yeux, j'ai le souffle coupé. Les doigts de Greg dématérialisent la chair de Robert, chair qui s'ouvre petit à petit. La peau, la chair, semblent devenir fluides. Les doigts pénètrent de plus en plus profondément, la chair continue de se dématérialiser, s'entrouvrant; un liquide blanchâtre, teinté de rouge, en mince filet, coule sur l'abdomen. Robert respire de façon plus saccadée; Jimmy lui demande de se calmer et de respirer plus doucement. Toute la région de l'abdomen où le guérisseur intervient semble être flasque, comme une cire réchauffée. Les doigts semblent agir maintenant comme des pinces, fouillant les profondeurs. J'ai l'impression d'être en proie à une hallucination, je me sens devenir aussi molle que la chair de Robert. Jimmy m'interpelle en faisant signe d'avancer le verre qui contient un peu d'eau. Greg se prépare à retirer quelque chose qui ressemble à un caillot de sang; lorsqu'il le retire complètement, il le jette dans le verre que je tiens près de ses mains. Le poids du verre n'est plus le même. Cette substance a même un poids. Je suis estomaquée. Je regarde de nouveau l'abdomen : la chair s'est refermée, elle a repris de sa solidité. Seul reste ce liquide qui coule et une marque rouge à l'endroit opéré. Jimmy s'essuie avec une serviette blanche.

— Ça va?

Greg parle à Robert et lui explique l'importance de rester détendu.

Mes jambes sont molles, mes bras sont faibles, je fais un grand effort pour ne pas m'effondrer sur le plancher. Je me dois de tenir le coup jusqu'à la fin des interventions. Greg se reconcentre, il va opérer la région du plexus. De nouveau, j'assiste au jeu de la lumière en lui, de son union à la Source. Soudainement, je comprends que ce n'est plus lui qui opère mais Dieu à travers lui; je le vois, je le constate. Les prières qu'il utilise l'aident à se maintenir à un niveau vibratoire élevé. Mon cerveau tente de faire d'autres liens; mon mental, lui, est en état de choc. Greg opère maintenant le plexus; de nouveau, la chair s'ouvre. Cette fois, les doigts du guérisseur pénètrent moins profondément. Robert semble être moins à l'aise avec cette intervention, il semble manquer d'air. Greg cesse ses prières pour lui parler avec douceur et compassion; il lui dit qu'il achève l'opération. Je me sens profondément émue par l'énergie qui circule dans la pièce. Comme souvent après une transe avec les Anges, je sens mon cœur qui va éclater d'amour et de gratitude. Ma conscience vit un niveau d'entendement que d'autres aspects de moi n'arrivent pas à saisir, comme si la lumière se faisait à l'instant même sur la raison de ma présence dans cette pièce. Les sensations désagréables que je vivais il y a à peine quelques minutes se dissipent, faisant place à un profond sentiment de gratitude et de paix.

Jimmy me dit que la phase opératoire de l'intervention est terminée. Je dépose le verre sur une table, Robert saisit ma main, son regard est profond, ses yeux sont mouillés, il se met à pleurer tout doucement, il me remercie. Je pleure à mon tour, sans comprendre vraiment pourquoi. J'ai l'impression d'avoir assisté à une naissance. Je laisse les guérisseurs à leurs autres interventions et je quitte la pièce, toujours par la porte arrière. Je me sens de nouveau dans un état de grâce, incapable de parler, mue par une force lumineuse très intense. Je constate qu'encore une fois je viens d'être frappée par la lumière.

L'hémisphère gauche de mon cerveau n'arrive pas à analyser ce qui se passe en moi. Je suis encore une fois happée par le mouvement de la lumière, par cette force qui me pousse à me transformer, et je ne peux qu'observer son mouvement. Ma conscience veut éclater de réjouissance comme si j'avais enfin compris... mais quoi? qu'est-ce que j'ai enfin compris? Je n'arrive pas à le mettre en mots, à l'analyser assez pour le mettre en mots. Je regarde le feu brûler dans la cheminée, je contemple ce mouvement d'énergie. Tout est énergie : le feu qui brûle le bois, le bois consumé par le feu, le bois qui devient cendre... C'est si simple... Je revois encore la scène chez le guérisseur philippin : les mains de Greg qui pénètrent la chair molle de Robert, je regarde le feu qui consume le bois, la matière agissant sur la matière, l'énergie agissant sur l'énergie. *Tout est énergie :* les Anges répètent souvent cette phrase. Je regarde mes genoux enflés. Mes genoux sont énergie, l'inflammation aussi est énergie.

Je m'allonge au sol devant le foyer pour réfléchir à ma journée. Je sais que si je tente de trop analyser je vais bloquer le mouvement de conscience en moi qui semble vouloir surgir. J'essaie de me détendre encore plus, de me laisser aller à ne rien comprendre de ce dont j'ai été témoin aujourd'hui chez Greg, et de faire confiance au processus d'intégration qui se déroule en moi.

J'entends le crépitement du feu, et le concerto pour piano en sol majeur de Ravel qui emplit la pièce de sa sonorité, je laisse cette musique pénétrer chaque cellule de mon système nerveux, j'installe mes mains sur mon corps physique et je ferme les yeux. Je me sens tellement bien, tout enveloppée de mon énergie, du mouvement de la lumière en moi et tout autour de moi. La musique est douce à mon cœur, à mon âme. J'équilibre tous mes centres d'énergie en commençant par la base; je respire la couleur rouge, orange, jaune... Je passe ainsi en revue tous mes chakras, je sens mon corps se détendre encore plus. Les vibrations de la musique de Ravel ont un effet thérapeutique spécifique sur moi, comme si ce concerto avait été écrit pour un dialogue très spécifique avec mon âme. Mes mains, mues par une force, semblent vouloir se lever de mon corps physique; je les laisse monter, poussées par l'énergie. Elles s'arrêtent à quelques centimètres au-dessus de mon corps physique. Ma main droite palpe maintenant l'espace au-dessus de moi, elle fait son chemin dans cet univers énergétique comme si elle savait exactement où aller, où attendre, où se déposer, où soutirer de l'énergie, où en donner. J'observe cette manipulation et, à mon grand étonnement, je ressens que l'énergie dans mes genoux s'active; des picotements se font sentir et, pourtant, mes mains sont au-dessus de mon front. Et ce qu'elles font au-dessus de la région de mon troisième œil semble créer un mouvement énergétique concentrique dans mes genoux et mes jambes. Ma main gauche se joint à ma main droite, ensemble elles se déplacent le long de l'axe central de mon corps, elles sont maintenant à la hauteur du thorax. Je laisse mes mains agir, elles sont habitées d'une intelligence que mon cerveau n'arrive pas à analyser. Je suis fascinée par ce qui se passe, la musique stimule chez moi une forme de certitude intérieure, mon être s'appuie sur les vibrations musicales comme support à l'intervention énergétique du corps éthérique de mes mains. Soudain, je constate qu'il y a deux niveaux d'intervention : à un niveau, mes mains nettoient mon corps éthérique, elles auscultent, elles ressentent et elles agissent, elles ont leur propre intelligence. L'autre niveau d'intervention est différent : je le vois par mes yeux intérieurs; mes mains ne sont pas seules, elles émettent quelque chose d'autre, un fluide énergétique qui émane de mes doigts. Elles se transforment, elles deviennent plus grandes, elles ne sont plus vraiment des mains physiques mais plutôt des mains énergétiques, elles sont pure énergie, agissant sur mon énergie et guérissant.

Je prends le temps de bien vérifier si je ne suis pas à halluciner ce que je vis, et pourtant non, ma perception est vraie. Non seulement ma perception, mais aussi les sensations dans mon corps physique sont réelles; mes genoux sont moins engorgés d'inflammation, ils sont plus souples; je plie mes jambes pour vérifier plusieurs fois, pendant que mes mains continuent d'agir sans se préoccuper de mes vérifications ou constatations.

Le concerto de Ravel, programmé pour jouer à répétition, continue de remplir son action thérapeutique. Le temps n'existe plus, je laisse mes mains agir, mon corps est chaud, calme, je suis emplie d'un sentiment de sérénité. Les morceaux du casse-tête commencent à s'intégrer, il est ainsi possible de rejoindre le corps physique par une intervention sur les autres corps, et c'est ce que font les Anges, c'est ce que font les guérisseurs spirituels. J'en fais l'expérience directe en ce moment. Il est aussi possible, tout comme les guérisseurs philippins le font, d'élever les vibrations de la matière pour manipuler le corps physique directement, tout comme il est possible d'élever les vibrations des autres corps subtils pour agir sur le corps physique indirectement. Je me sens soudainement tout excitée, je commence à saisir.

Mes mains ont cessé leur intervention au niveau du corps éthérique. Elles montent à un autre niveau, elles auscultent toujours, sur l'axe central de mon corps, un autre palier. Elles semblent s'appuyer sur l'autre corps subtil, elles commencent de nouveau à agir; mes bras ne sont pas fatigués car ils sont supportés par l'énergie. Je laisse l'intervention se dérouler, une forme de somnolence me gagne, je suis happée par l'énergie, je me sens changer de niveau de conscience, je m'élève avec mes mains. L'intervention sur ce corps subtil est plus courte, mon enveloppe physique est tout engourdie, je ressens moins l'action de cette deuxième intervention car je suis somnolente, engourdie de lumière et d'énergie. Je me sens soudainement fatiguée; le traitement achève, car mes mains semblent arrêtées, mais je vois par mes yeux intérieurs qu'elles envoient de la lumière par la prolongation des doigts énergétiques aux autres corps subtils. Le tout prend un certain temps, je commence à avoir hâte que l'intervention se termine car la fatigue se fait de plus en plus sentir. J'ai très envie de dormir. Mes bras redescendent, se déposent le long de mon corps, je peux enfin dormir, dormir... dans mon état de somnolence, je ressens que la pièce est plus froide, le feu de la cheminée doit être éteint depuis un certain temps, le froid ne m'atteint pas, je suis enveloppée de lumière, j'entends au loin le concerto de Ravel qui rejoue sans cesse, je ressens la vibration des Anges dans la pièce, ils me parlent, je suis incapable de faire le moindre effort, je ne peux prêter attention à leurs mots, je suis trop lasse, je me laisse aller à dormir...

Le froid me réveille, mon corps est tout engourdi, où suis-je? Depuis combien de temps est-ce que je dors ainsi? Mon dos est endolori par la position couchée sur le tapis. Je me lève péniblement pour constater que mes genoux sont souples. Il n'y a presque plus d'inflammation, seul mon dos est endolori de son contact avec le sol. J'arrête la musique de Ravel, je regarde l'heure, il est minuit, cela fait approximativement deux heures que je suis couchée au sol. Ai-je rêvé, ou est-ce que je me suis vraiment donné un traitement de guérison spirituelle?

— Oui, je me suis traitée.

J'ai parlé à haute voix pour être certaine que d'être bien réveillée; ce que je viens de dire me semble bizarre : je ne me suis pas traitée, j'ai laissé mes mains me traiter. Oui! c'est cela, mes mains m'ont traitée. L'image de Greg s'impose à mon cerveau. Je le revois encore s'abandonnant totalement à la lumière. Ce n'est pas Greg qui traitait Robert aujourd'hui, c'est la lumière en lui...

— Mes mains de lumière m'ont traitée...

Ces mots, prononcés à haute voix, me semblent plus justes.

As-tu une place dans ton horaire pour des transes de guérison?

La voix de Sylvie, mon directeur de transe, me va droit au cœur. Je sors de transe, je suis encore tout abasourdie. Combien de fois va-t-elle encore me poser cette question? Je regarde mon agenda, je résiste, je n'arrive pas à trouver du temps pour ce genre de rencontre.

Sylvie me regarde avec de grands yeux et continue d'insister.

— Marie Lise, les Anges nous suggèrent de faire des rencontres de guérison. Ils veulent aider à ce niveau et, en plus, j'ai une liste d'attente de gens qui veulent recevoir ce type d'intervention des Anges. Qu'est-ce que je fais? Qu'est-ce que je dis à tout ce monde?

Je la regarde, elle ne bronche pas, elle attend. Tout cet échange m'est difficile, mon cerveau est lent à fonctionner. Dans cet état post-transe, j'aimerais mieux ne pas parler, car j'arrive péniblement à formuler mes pensées. Je choisis de faire l'effort, car je sais que nous avons peu de temps, mon directeur et moi, pour échanger tellement mes horaires sont chargés au Centre Nova.

— J'ai peur, Sylvie, j'ai tout simplement peur; je sais que les Anges sont plus que prêts, ils n'attendent que moi. J'ai peur que ceci n'entraîne des conséquences fâcheuses avec l'ordre des médecins et la réputation du Centre. Nous ne sommes pas dans un centre de guérison spirituelle, je ne veux pas compromettre les gens associés au Centre; déjà, que je canalise des Anges fait réagir beaucoup de gens ici. Les jugements pleuvent de tous bords et de tous côtés. Si, en plus, je laisse les Anges traiter, je vois déjà ce qui pourrait arriver...

— Oui, mais, Marie Lise, les Anges ne viennent que pour faire du bien, ils agissent sur les corps subtils et c'est très efficace.

Je regarde Sylvie. Je sais qu'elle ne lâchera pas.

— De plus, les Anges ont suggéré que Robert les assiste dans les traitements.

Tente-t-elle de me rejoindre par le biais de mon âme sœur? Je sens l'impatience monter en moi, mais Sylvie continue.

— J'ai quelquefois l'impression que Robert, en tant que maître Reiki, est dans ta vie aussi pour aider les Anges dans leurs interventions de guérison. Vous avez une mission à accomplir à trois.

Je lève de nouveau mon regard sur elle. Je considère Sylvie un peu comme ma fille spirituelle. Je lui permets de m'atteindre. Elle seule réussit quelquefois à lire dans mon âme, à me comprendre sans mots. La lumière du mois de mars entre, feutrée, dans mon bureau, créant des tons de jaune, de bleu et de gris. Cette luminosité m'incite, par sa douceur, à partager un niveau plus grand d'intimité avec ma fille.

— Sylvie, j'ai envie de tout lâcher : le Centre, mes associées, l'antigymnastique. Je n'en peux plus de faire les deux. Je me sens tiraillée entre deux mondes, deux réalités. Plus j'avance dans le processus de médiumnité, plus je réalise que si je veux vraiment être honnête avec cette voie et ce que j'apprends de cette voie, je dois m'y consacrer totalement. Tu m'entends, totalement. Je suis rendue à faire le saut et c'est ça qui me fait peur.

Je pense intérieurement que la bombe est lancée et j'attends sa réaction.

Ma fille semble toujours très calme.

— Je ne suis pas surprise, je sens cela venir depuis quelques mois : la coupe des cheveux, la réaction des gens, ta séparation d'avec Serge, l'arrivée de Robert dans ta vie, la demande de plus en plus grande pour des conférences avec les Anges, des rencontres individuelles, des groupes de méditation, de prière, et des traitements de guérison. Bientôt tu ne pourras plus répondre à la demande. Les Anges deviennent de plus en plus connus. Tu ne pourras plus cacher tes activités de médium. Je te vois aller, tu ne pourras plus faire les deux. Tu es déjà à faire un choix.

Elle pousse un soupir et continue.

— Si tu pouvais être consciente pendant les transes et ainsi assister à la rencontre que vivent les gens en contact avec les Anges! Cela transforme leur vie, ils sont transformés par l'énergie d'amour qui émane des Anges. Si, au moins, tu pouvais être témoin, cela t'aiderait peut-être à leur faire plus de place dans ta vie.

Plus de place dans ma vie! Je regarde toujours cette luminosité du mois de mars qui enveloppe le bureau de ces tons bleutés. J'ai l'impression que ma vie est happée par une énergie... ma vie ne m'appartient plus, elle appartient à cette force de lumière qui m'habite et me pousse à me transformer, et à tout nettoyer sur son passage. Cette force, qu'elle se nomme les Anges, les guérisseurs philippins, ou la kundalini, cette force, cet appel est l'appel de Dieu. C'est tout, et c'est déjà beaucoup. Comment transmettre ceci à ma fille?

— Sylvie, s'il me fallait être consciente pendant les transes, j'éclaterais. Non seulement j'arrive difficilement à assimiler ce que ce processus de canalisation m'amène à vivre, s'il fallait qu'en plus je sois consciente de tout ce qu'ils transmettent aux autres, ce serait trop. Au contraire, je remercie la Source que je sois en transe profonde et que pendant ce temps j'aille puiser et me ressourcer dans les énergies supérieures. De canaliser les Anges est amplement suffisant.

Je fais une pause, je regarde l'impact des mots sur elle, je décide de poursuivre :

— Sylvie, te souviens-tu que quelquefois je reviens de transe en te disant que les Anges m'ont communiqué que j'ai terminé ma vie personnelle? Je me demandais ce que cela pouvait bien dire, ne plus avoir de vie personnelle... Je commence à comprendre... lorsque je me suis guérie de l'arthrite, j'ai eu à abandonner ma vie personnelle pour me consacrer à ma guérison; je ne pouvais pas à la fois me guérir et conserver ma petite vie, ma petite sécurité, j'ai eu à m'ouvrir à quelque chose de plus grand que moi, qui me guidait totalement... J'ai reconnu cette voix et je l'ai suivie. Sylvie, je n'aurais jamais pu me guérir en tentant de conserver ma vie personnelle. Il m'a fallu tout abandonner : carrière, pays, amis et suivre l'appel de la guérison intérieure. En suivant cet appel, tout s'est manifesté, tout, comme si tout m'attendait. C'était à la fois difficile mais aussi extraordinaire; une fois le pas fait, c'était même magique. Puis, un jour, j'ai cessé de suivre ma voix intérieure, je lui ai résisté, je lui ai fait la sourde oreille. La voix, elle, continuait de me parler : elle me disait que si je posais tel geste, je m'éloignerais de moi-même, et je le posais quand même; elle me disait que telle relation serait malsaine, et je la vivais quand même... Je me souviens qu'à l'époque je disais aux autres que j'avais perdu la magie de mon existence.

Je fais une pause et je regarde Sylvie

— J'avais perdu la magie de mon existence, j'avais cessé d'écouter ma voix intérieure et elle s'est tue... J'avais même l'impression qu'elle m'avait abandonnée. Voilà que cet été à Sanibel, elle est revenue, elle s'est à nouveau manifestée. Depuis, je l'écoute, je n'ai plus envie de la perdre. J'accepte de nouveau de quitter ma vie personnelle, ma sécurité, mon cocon, j'accepte de me laisser guider, de me laisser pousser vers quelque chose de plus grand que moi qui m'amène à me dépasser. J'ai peur, car je sais que j'ai à tout quitter, et je n'arrive pas encore à vraiment faire le pas.

De petits coups à la porte m'avertissent qu'il est l'heure de ma classe d'antigymnastique. Sylvie me prend dans ses bras et me serre fort contre sa poitrine. Je la laisse me prendre. Le moment d'intimité est déjà terminé.

— C'est maintenant l'heure de ma classe.

Tous les yeux sont tournés vers moi en attente d'un sourire, d'un regard, d'une voix qui va les guider dans les profondeurs de leur être. Je prends quelques minutes pour me recentrer, je constate que l'énergie de la transe avec les Anges est encore très présente en moi et que l'échange avec Sylvie m'a fait beaucoup de bien, me permettant de m'avouer à haute voix ce que je sens venir. Mes vibrations sont encore élevées, je sais que je n'ai qu'à me laisser guider par l'énergie qui m'enveloppe pour donner ma classe. Je n'ai pas envie ce soir de parler au conscient des mes élèves, mais plutôt à leur inconscient et ce, à travers le dialogue avec leur corps. Je leur communique ce besoin et leur demande donc de s'allonger au sol. Je prends le temps de les guider dans une rencontre intime avec elles-mêmes, à travers une prise de conscience de leur corps. Tout en les guidant, je regarde les douze corps qui sont allongés à mes pieds. Je les vois d'une façon différente ce soir, car la mémoire de ce que j'ai vécu avec les guérisseurs me revient spontanément en contemplant mes élèves au sol. L'instant d'un éclair, la vision de l'abdomen de Robert, mou comme de la cire, me frappe; je regarde de nouveau les corps allongés devant moi. Puis-je arriver à aider un être à élever suffisamment ses vibrations pour que le mouvement soit reçu par un corps plus fluide? Comment pourrais-je arriver, avec mes connaissances, à aider suffisamment le corps à élever ses vibrations pour dématérialiser sa matière physique? Je continue de contempler les corps, tout en me posant ces questions sur la guérison. Mon corps soudain se redresse de lui-même, je me sens mue par une force intérieure; une voix commence à me communiquer certaines informations.

«D'abord, vois les corps comme étant des masses vibratoires, vibrant à différents degrés. En second, élève les vibrations de la pièce.»

Comment? Je pose la question à la voix, comment?

«Par ta conscience; souviens-toi de ce que tu fais quand tu pars en transe. Tu élèves tes vibrations, alors par la même concentration et par le même élargissement de conscience, élève les vibrations de la pièce. Allez! maintenant!»

J'exécute exactement, je me concentre sur mon troisième œil et j'élève les vibrations de mon corps physique et de tout ce qui m'entoure. J'enveloppe la pièce ainsi. Je ne sais pas si je réussis, mais un long courant d'énergie, reçu dans ma colonne vertébrale, m'informe qu'un autre niveau vibratoire est atteint. J'attends la prochaine consigne.

«Maintenant, enracine-toi, tu ne dois pas partir en transe».

J'effectue l'enracinement.

«Continue à guider en utilisant ta voix comme un support énergétique qui s'adresse au chakra du cœur de tes élèves. Concentre-toi sur l'amour et maintient ta conscience élargie dans la pièce. Tout est vibration, souviens-toi, tout est vibration, tout est amour».

Je reconnais les Anges...

Je guide le premier mouvement ainsi. La consigne que je transmets est simple, mais elle me fait un effet incroyable, comme si elle me rejoignait aussi dans mon cœur. Je me sens tout émue, je sens mes vibrations s'élever. Je constate que cette consigne possède le même taux vibratoire qu'une prière.

«Maintenant, laisse les vibrations de ta voix et les mots que tu choisis pénétrer de leur énergie la masse vibratoire du corps des participants. Ne tente pas de guider, laisse l'énergie agir, faire son chemin. Concentre-toi sur ce que tu veux transmettre et maintient ta conscience élargie».

Un silence d'or règne dans la pièce. Je sens que le travail atteint plusieurs niveaux de conscience.

«Maintenant, vois leurs corps, non plus comme des masses vibratoires, mais bien comme un océan vibratoire d'amour, véhicule de l'âme; où il y a blocage, il y a manque d'amour. Donne cet amour. Par les mots que tu choisis, amène leur cœur à transformer cette douleur. Là où il y a blocage, vois de la fluidité. Élève ta perception. Tente de maîtriser cela; ce n'est pas un acte de volonté, c'est à la frontière de ce qui est et de ce qui est en devenir, tout en respectant ce qui est. Tente cette expérience».

Je choisis de me lever et, par ma voix, par les mots choisis, je distribue l'amour, je circule entre les corps, je transmets par ma vision élargie le mouvement dans sa globalité. De mes yeux, je vois ce mouvement se vivre à travers les limites réelles du corps physique. Je vois soudainement à travers les corps allongés sur le tatami, je vois la colère dans le bassin de Lyne, la tristesse dans le devant des cuisses de Laura, je trouve les mots justes et ces mots deviennent des épées de lumière qui atteignent la cible de l'âme.

Tout en circulant, je croise le regard de mes élèves en formation, qui m'assistent. Comprennent-elles ce qui se passe ce soir dans la pièce? Ressentent-elles l'énergie de guérison qui circule? Perçoivent-elles que le travail se vit à un autre niveau?

La voix continue... «Maintenant, il est temps que tu complètes; enracine l'énergie de guérison».

Enraciner l'énergie de guérison? comment?

«Par la respiration et la prière. Suggère-leur de demander et de remercier».

Des aspects de moi semblent très bien comprendre le message des Anges, car les mots viennent facilement et je vois les corps absorber une lumière différente. Je complète ainsi la classe. Je m'assois, j'attends en silence qu'elles reviennent de leur rencontre avec elles-mêmes. Pendant ce temps, je considère l'expérience que je viens de vivre. Je comprends avec beaucoup de gratitude que, par mes expériences autant avec les Anges qu'avec les guérisseurs, j'ai intégré dans ma conscience une vision plus large de la guérison et, qu'en plus, je sais comment la transmettre aux autres. Je pressens soudain ce qui est à venir pour moi dans cette voie : que toutes ces expériences sont comme des cailloux semés sur ma route pour me guider dans une conscience supérieure de la guérison. La lumière se fait de plus en plus, je n'ai pas à suivre les guérisseurs philippins aux Philippines, je n'ai qu'à m'ouvrir à l'enseignement des Anges, je n'ai qu'à leur permettre de se manifester à travers moi, en leur servant de canal. Je suis à leur école.

Lyne s'assoit, les yeux brillants, elle secoue sa tête et me dit :

— Je n'ai jamais vécu une telle expérience; je ne trouve pas les mots pour dire...

Elle me sourit tout en pleurant doucement de joie. J'observe que ses deux mains se sont spontanément jointes sur son cœur. Ce geste inconscient de sa part est très révélateur et me dit qu'une intervention profonde s'est opérée ce soir pour elle et pour les autres. Mon cœur aussi déborde d'amour, je sais que je dois quitter la pièce pour les laisser encore plus en contact avec leur expérience et non avec leur expérience à travers moi. Il n'y a pas vraiment de mots pour le dire.

Je les incite à prendre le temps de bien revenir dans la pièce avant de quitter le Centre.

— Nous nous reverrons la semaine prochaine, si Dieu le veut.

Elles éclatent de rire.

Mes yeux cherchent dans l'obscurité. La noirceur est totale; je prends conscience que je suis dans ma chambre, assise bien droite dans mon lit. Mon corps a pris cette position de lui-même et c'est ce qui m'a réveillée. Qu'est-ce que je fais assise ainsi dans mon lit en plein milieu de la nuit? N'étais-je pas en train de rêver avant ce réveil brutal? Je cherche, je fouille ma mémoire, je tente de retracer le mouvement de mon rêve. Petit à petit, la mémoire me revient : je me souviens maintenant de m'être assise parce que... Qu'est-ce qui se passait dans mon rêve pour que je m'assoie ainsi dans mon lit? Je cherche encore... Il y avait une voix, une voix qui me parlait de... de quoi me parlait-elle pour que je réagisse ainsi? Soudainement, mon cœur fait un bond, mon corps se souvient, la mémoire me revient, la voix me parlait de Nova.

«C'est le temps de quitter Nova, tu peux le faire maintenant, c'est l'action juste à poser pour ce qui est à venir. Depuis septembre, je t'envoie le message et tu résistes; maintenant tu peux poser le geste. Voici comment tu vas le poser : tu vas tout donner à tes associées, tu vas tout leur remettre, tout ce que tu as créé depuis ces dernières années,

165

tu vas le leur donner en héritage et elles vont poursuivre cette œuvre. Elles en sont capables maintenant, tu dois couper le lien et poursuivre ta voie».

Ces propos étaient d'une telle puissance dans mon rêve que je me suis assise dans mon lit, en état de choc, et c'est ce qui a attiré l'attention de mon conscient : je me suis réveillée littéralement à ma réalité intérieure.

Je me lève, tout abasourdie. La nuit semble très avancée. Je tourne en rond dans l'appartement pour finalement me rasseoir, me recentrer. Je sens en moi la certitude que cette action est juste, il n'y a plus de doute. Le sentiment est clair, comme si la décision de quitter mes associées avait été prise par mon inconscient et que maintenant mon conscient l'intégrait. Je fixe le tapis devant moi, mes jambes sont croisées en position de méditation, ma colonne vertébrale bien érigée. J'entrecroise mes doigts, je sens le besoin de réunifier tous mes méridiens, ce qui m'aide à retrouver mon centre. Je suis maintenant tout à fait réveillée, dans une lumière de lucidité; je tente de faire le point sur ce que me transmet ma voix intérieure, je réfléchis au message reçu. Je ressens mon ego qui réagit à un point précis : l'héritage donné à mes associées. Je dialogue avec ma voix intérieure : dois-je tout donner?

«Oui, c'est la seule façon de te libérer. N'oublie pas que tu peux tout donner, car rien ne t'appartient».

Comment rien ne m'appartient? La réplique de l'ego est rapide et directe. Je sens mon estomac se crisper sous l'impact.

Tout ce que j'ai créé, les années que j'ai passées à créer la formation en Approche Globale du Corps, les mois à pondre la formation en Imagerie Mentale, et maintenant vous me demandez de tout donner, de tout céder?

«Oui, car rien ne t'appartient. Tu as reçu cet enseignement, tu l'as transmis. Souviens-toi de comment tu l'as reçu : tu étais totalement guidée, tu le recevais dans tes rêves ou à travers des états de conscience éveillée. Tu dois te séparer de cette création. Ne nourris pas d'attachements, n'essaie pas de retenir l'œuvre de cette création. Tu es appelée à autre chose, à découvrir et transmettre d'autres dimensions de l'être. Fais-moi confiance, suis-moi».

Est-ce possible? Je réfléchis maintenant à haute voix, je me lève, j'ai besoin de marcher. *My God!* est-ce possible?

J'entends ma voix qui me revient en écho, et j'ai besoin de l'entendre.

— Vais-je être capable? vais-je être capable?

Je tourne en rond, je m'arrête devant le miroir pour mieux regarder si j'existe vraiment, si je suis bien réveillée, si mon âme est bien dans le bon corps. L'information reçue est un tel choc que je me demande si je suis bien là. Mon ego est sur le point de craquer. J'éclate de rire, je reconnais la peur de mon ego, c'est ce qui crée ce sentiment de dissociation. La peur me tenaille, me sépare du sentiment de certitude. Jamais je n'aurais cru qu'un jour on me demanderait de tout abandonner. Depuis plusieurs mois je pressentais que ceci viendrait, mais je n'osais pas l'envisager tellement je n'y voyais pas de solution possible. Je n'aurais jamais cru que la solution serait de leur donner l'œuvre en héritage. Et pourquoi pas? La voix a raison.

Je m'assois de nouveau sur le fauteuil, cette fois-ci avec ma peur, pour contempler les dix dernières années de ma vie. Je ne possède rien et je possède tout. Tout ce que j'ai transmis est basé sur l'expérience que j'ai vécue de l'autoguérison d'une maladie dite incurable, à travers des outils de communication psycho-corporel qui m'ont aidée à rétablir le lien perturbé entre ma psyché et mon corps. Tout ce que j'ai transmis est aussi basé sur mon expérience de travail auprès de beaucoup d'individus que j'ai guidés dans cette réconciliation entre leur corps et leur esprit. Tout l'enseignement que j'ai transmis aux autres est basé sur *l'expérience* de cette guérison de l'âme, passant par une réunification du corps et de l'esprit.

Pour fin d'enseignement, j'ai réuni des grilles d'interprétation déjà existantes, j'ai bâti des systèmes pouvant tenter d'expliquer cette expérience et la rendre transmissible aux autres. Mais, avant tout, je me suis assurée que chacune des élèves recevant cet enseignement vive un processus de guérison sur elle-même à travers sa formation en Approche Globale du Corps. Comment aider les autres à se guérir si on ne s'est point guéri soi-même? La plus grande difficulté rencontrée pendant toutes ces années de formation fut de tenter d'expliquer ce qui ne s'explique pas vraiment, car une expérience reste une expérience et seul celui ou celle qui la vit ou l'a vécue peut arriver à trouver les mots ou trouver même le langage non verbal pour la transmettre. Beaucoup de mes élèves ont dit pendant toutes ces années que mon approche n'était pas assez systématique; cela les insécurisait. D'autres ont même nié leur apprentissage à mes côtés pour se sécuriser dans des approches où tout était mis en boîte, où tout était expliqué, comme si l'humain pouvait tout comprendre du grand mystère de la relation entre la psyché et le corps. Quelle illusion! Quelle illusion! C'était tomber dans le piège que j'ai tenté d'éviter pendant tant d'années d'enseignement, le piège qui est de mettre en boîte et en système les réactions multiples du corps face à la distorsion de la psyché, le piège qui est de tenter de vouloir tout comprendre et de croire tout comprendre et ainsi de se fermer *au mystère même de la vie.* Ce que j'ai tenté de transmettre, c'est de développer une force intérieure assez grande, une reconnaissance de ce mouvement même de la vie en soi pour être en sécurité dans toute cette insécurité qu'est le mystère de la relation corps—esprit—âme.

Ce que je cède à mes associées est finalement tout cet héritage, héritage que je possède en tant qu'expérience; cet héritage aussi que je ne possède pas car il n'est pas basé sur un amas de connaissances mais bien sur le mystère même de la vie.

Je considère ce train de pensées... une question surgit en moi : suis-je vraiment prête à tout abandonner? Je laisse la question mûrir en moi... Je sais que j'ai à évoluer vers d'autres plans d'intervention mais lesquels? Je ne sais pas... je sais que je ne saurai pas tant que je n'aurai pas tout abandonné.... je ne peux pas à la fois tout abandonner et à la fois rester attachée à ce que j'ai créé depuis dix ans... J'ai à tout abandonner et je n'ai rien à perdre, puisque rien ne m'appartient... Il est vrai que rien ne m'appartient, je ne suis qu'un canal...

La nature se réveille sur ces propos, les oiseaux font entendre leur chant matinal, je me lève de mon fauteuil pour contempler, à travers la verrière du salon, le jour se lever. Le reflet de mon visage dans la vitre me rappelle que j'ai eu trente-neuf ans la semaine passée... trente-neuf années d'existence accomplies. Je me sens à la fois si jeune et si vieille. D'un pas décidé je me rends à mon bureau pour y écrire ma lettre de démission.

—**M**arie Lise, réveille-toi, c'est l'heure de la prière.

La voix de Robert m'arrive de loin, je ne veux pas quitter le sommeil... je n'ose pas croire ce qu'il me dit : «l'heure de la prière», Suis-je dans un monastère? Je sens pointer en moi une colère, j'ai envie de lui dire de me laisser dormir, puis je me souviens de mon engagement pris la veille de prier aux trois heures.

— Quelle heure est-il?

— Il est minuit.

Minuit? j'ai l'impression que la nuit était très avancée. Je me sens tellement fatiguée, je suis incapable de me lever. Qu'est-ce je suis en train de vivre? Suis-je folle? Pourquoi ne pas dormir, tout simplement? Quelle idée de m'embarquer dans des exercices spirituels suggérés par les Anges pour élever nos vibrations et assouplir nos ego... Dix jours de prière aux trois heures, je suis cinglée! Pendant que ces pensées déferlent dans ma tête, j'essaie quand même de lever mon corps physique et de tenir mon engagement.

Je tente ma première nuit de prière. Mon ego a l'impression que c'est la fin du monde et pourtant, combien de nuits ai-je prié dans ma vie? Peu... et combien de nuits ai-je dormi? Beaucoup... Je traîne mon ego en colère jusqu'à mon tapis de méditation, j'appuie mon dos contre le mur, je ferme les yeux avec soulagement.

Je prends conscience de la douceur de la nuit dominicaine qui m'enveloppe. Le bruit des insectes me parvient très distinctement. La sensualité de l'air des tropiques a pour effet d'apaiser mon ego pour laisser la place à mon âme et à son dialogue avec la Source. Je me sens soudainement si bien, si enveloppée par la Nature et la vibration de la méditation qui s'installe en moi, je me sens m'élever à quelque chose de plus grand en moi et autour de moi. Je sens ma conscience s'élargir, je deviens une avec la nuit, une avec les insectes, une avec les étoiles. Je sens la légèreté de mon âme et la douce vibration de son énergie en moi qui circule. Je n'ai plus la force de penser au dialogue avec la Source ou de penser à quoi que ce soit. L'état de prière s'installe malgré mon moi ou ma collaboration consciente, sans que je l'impose. Je suis dans un état de totale réceptivité et de communion.

Puis mon corps veut changer de position. Je le laisse faire : il se met à genoux, les fesses sur les talons, le front contre le sol, le nez collé sur le tapis de méditation en laine. Je ne comprends pas vraiment cette position sauf qu'elle m'inspire un état d'humilité et d'abandon. Je ressens un étirement plus grand de toute ma colonne vertébrale, comme si l'énergie voulait passer du sacrum au crâne plus facilement. Mon corps tente de s'adapter, mes genoux crient, les muscles de mes cuisses n'arrivent pas à s'étirer complètement pour que la position soit vraiment confortable pour la flexion des genoux. Je tente de m'abandonner encore plus, de relâcher la tension musculaire, de laisser le temps aux muscles de s'étirer petit à petit. Mes genoux sont très présents à ma conscience. Libérés de leur inflammation depuis des mois maintenant, ils plient, mais difficilement... En un éclair, je vois la vie de mes genoux non souples, inflexibles. Une conscience de mon incarnation s'installe : je comprends que mes genoux ne se sont jamais pliés à quelque chose de plus grand parce que j'ai toujours résisté à la Source, au divin en moi. Mes genoux ont connu la guerre de l'ego, l'orgueil et la fierté, le contrôle sur moi-même, mon essence et mon âme. Mon cœur se met soudainement à pleurer, à pleurer cette résistance vieille, vieille, depuis des vies peut-être. Je n'en peux plus de résister, je ne veux que m'abandonner, me fondre...

Les larmes coulent maintenant sur le tapis de laine, je déborde d'amour pour mon âme et la Source en elle. Mes genoux s'assouplissent, ils lâchent prise, l'énergie qui guidait cette position semble évoluer en moi au fur et à mesure de mes prises de conscience. Un disque d'or maintenant se loge au niveau de mon troisième œil. Tout mon cerveau baigne dans une lumière dorée, et cette lumière semble exprimer la réconciliation de mon âme avec la Source... Puis la lumière s'estompe, l'énergie bouge dans une direction différente. Je vois subitement une boule rouge d'énergie, logée maintenant dans mon ventre, dans mon bassin. Mon corps se réorganise, ma respiration devient autonome autour de mon nombril, j'inspire, j'expire, à un rythme qui est dirigé par le mouvement de l'énergie. Une puissance fulgurante se dégage de ma respiration et de la boule d'énergie dans mon ventre. J'ai peur... j'ai peur de la force de cette énergie, je la sens si puissante. Je tente de me laisser aller, d'abandonner mon dos, mes fesses, mes cuisses et, en même temps, j'ai peur. Comme j'ai peur! Jamais je n'ai été témoin d'autant d'énergie en moi. Qu'est-ce que j'en fais? Mon bassin est pris de secousses involontaires, dont la source est cette boule; les secousses permettent à l'énergie de monter tout le long de la colonne jusqu'au crâne, comme des vagues circulant le long de mon dos. Mes genoux crient de plus en plus. J'ai l'impression qu'ils vont craquer. Mon corps est de plus en plus secoué, des vagues de chaleur montent le long de la colonne, je me mets à transpirer au front, sous les aisselles, sous les genoux, le long du sacrum. Mon Dieu! j'ai peur! C'est au tour de ma tête de trembler. Les secousses sismiques passent dans la nuque, et la tête est possédée de mouvements involontaires. Ces derniers semblent rendre mon corps de plus en plus souple, comme s'il pouvait prendre des positions de yoga. Je les vois dans ma tête, je vois toutes les positions de yoga qui se déroulent dans ma tête. Mon corps est de plus en plus secoué jusqu'à ce qu'il roule sur le côté, poussé par la force de cette énergie. Je ressens le pouvoir d'attraction de cette puissance. Je tente de déplier mon corps; je ne suis pas certaine qu'il va m'obéir tant il était mû par autre chose que ma volonté. À mon grand soulagement, il répond à ma commande. La fraîcheur des tuiles de la terrasse est perçue comme un bienfait pour mon dos qui est en feu. Étendue ainsi, je me sens bien. Je cherche à voir la boule d'énergie... elle n'est plus là. Je découvre avec stupeur qu'il existe maintenant en moi deux courants d'énergie bleue qui circulent le long de ma colonne vertébrale. Je n'ai jamais perçu ces courants dans le passé. L'énergie calme et douce qui circule m'apaise. Ma conscience semble reposer dans de la ouate. Je n'arrive pas à penser, je suis dans l'expérience de l'énergie. Le temps n'existe plus. Petit à petit, la fonction de la pensée m'est redonnée, je peux ainsi constater que l'énergie de la méditation, pour la première fois, est vécue non seulement au niveau du crâne, mais partout dans mon corps. Ce dernier est fluide, souple, léger. Je suis totalement impressionnée par mon expérience, mais ce qui me frappe le plus, c'est la force de cette énergie en moi, qui fait son propre chemin à travers mon corps physique, et qui semble dotée de sa propre intelligence.

Je peux tranquillement me relever pour me diriger de nouveau vers mon lit. Je suis maintenant très éveillée, très lucide. J'observe l'état nouveau dans lequel mon esprit et mon corps reposent. Je contemple la nuit étoilée de mon lit, je me sens large, comme si mes corps subtils avaient pris des dimensions gigantesques. J'écoute le bruissement du vent dans les feuilles de palmiers, le son de la mer dans le lointain. Je me sens seule, seule avec mon expérience. Cette force ressentie est certainement la kundalini, c'est à la fois extatique et apeurant. J'ai soudainement envie de retourner en arrière, de tout arrêter. Je ne veux subitement plus évoluer, après avoir tout quitté : l'homme, les cheveux, l'image, le Centre, les associées, la carrière... je me demande si je ne suis pas en train de quitter aussi ma conscience, ce que je connais de moi. J'ai peur de devenir folle...

Je contemple encore plus intensément les étoiles. Mes yeux en découvrent d'autres, puis d'autres, et encore d'autres...

Le ciel m'apparaît soudainement dans son immensité; j'ai envie d'y plonger. Cette sensation me ramène brusquement à la pensée que j'ai tout quitté pour plonger... Cette pensée est froide, froide comme les murs blancs de la chambre que mes yeux fixent maintenant. Je suis brusquement ramenée à une réalité : j'ai vraiment plongé, j'ai choisi de me consacrer totalement à la médiumnité, à mon travail avec les Anges. J'ai choisi de me retrouver face à l'inconnu, au vide et à l'incertitude face à où cela va me mener. J'ai subitement besoin de savoir à quoi ma vie va maintenant ressembler : plus de classes d'antigymnastique soir après soir, plus de bureau, plus de Centre, plus de ces gens qui ont besoin de moi. Je n'arrive pas à imaginer ma vie quotidienne sans cette structure que j'ai connue depuis douze années. Je me sens manquer de sécurité malgré la voix qui me guide, malgré les Anges qui nous guident, Robert et moi, malgré tout. Ni la voix, ni les Anges ne veulent me révéler ce qui est vraiment à venir dans la forme matérielle des choses.

Mes yeux sont maintenant fatigués de fixer les murs blancs à la recherche d'une vision qui me libérerait de mon angoisse. Mon mental cherche. Pourquoi est-ce que j'ai maintenant si peur?

L'espace de sérénité qui me comblait il y a de cela quelques minutes a fait place à un sentiment d'angoisse profond. J'ai largué de puissantes amarres matérielles, tangibles, pour me diriger dans une voie inconnue de la majorité des humains, la médiumnité. Je constate que je connais bien les différents aspects de ma personnalité, de mon *moi*, mais que l'énergie intérieure de ma propre spiritualité, de mon *Soi,* m'est totalement inconnue. Je connais aussi mon corps, j'en ai visité, pour l'aider à se guérir, tous les coins et recoins; mais cette force de la kundalini, ressentie en moi il y a à peine quelques minutes, m'est totalement inconnue.

Le croassement d'une grenouille me fait sursauter; je prends conscience que mon système nerveux, qui tantôt baignait dans un état de béatitude, est maintenant surchargé par la peur et l'angoisse. J'allume la lumière pour regarder l'heure et tenter de me sortir de cet état. Il est deux heures. Mes yeux tombent sur mon livre de chevet, dont la page couverture me frappe : j'y vois un homme, de profil, assis en position du lotus, qui tient au bout de son index une boule d'énergie blanche. Cette boule ressemble étrangement à celle que j'ai contemplée avec peur dans mon ventre il y a à peine une heure. Coïncidence? Synchronicité? Le titre, que je connais, *Kundalini, énergie évolutive chez l'homme,* m'interpelle d'une façon nouvelle. J'approche le livre pour mieux le contempler et surtout l'interroger. Peut-être renferme-t-il une clé pour moi? L'auteur, Gopi Krishna, y décrit en détail son expérience de montée de kundalini, échelonnée sur douze années. Je pose l'ouvrage sur mon plexus, et j'attends en présence du livre et de la luminosité sécurisante de ma lampe de chevet le prochain temps de prière, à 3 heures...

La lumière crue du couloir de la salle d'urgence m'éblouit. Je tente de retrouver la serviette que les infirmières m'ont donnée hier pour me cacher les yeux. Je sens une présence à mes côtés.

— Bonjour, je suis le docteur Simard. Avez-vous encore mal à la tête?

Je n'ai même pas la force de lui répondre. Tout mon corps est pris dans un pain, j'ai de la difficulté à ouvrir ma bouche pour articuler. Je fais, en guise de réponse, un signe «plus ou moins» avec la main.

— Nous allons devoir passer d'autres tests, car nous croyons avoir détecté que vous avez une méningite virale. Nous attendons le neurologue, le docteur Brault, pour vous faire une ponction lombaire. Une étude du liquide céphalo-rachidien nous indiquera s'il s'agit d'une méningite virale ou bactérienne. Nous croyons plus à une méningite virale car, même si la fièvre est encore existante, vous avez bien réagi aux médicaments.

Pour toute réponse je lui fais une grimace, car la serviette protégeant mon troisième œil vient de tomber et la lumière au néon du couloir me fait mal.

— La lumière vous agresse? Je vais vous installer ailleurs, dans le couloir menant à l'aile de psychiatrie; la lumière y est plus tamisée.

Je réussis à penser que l'on m'a envoyé un Ange. Quelle bénédiction!

L'ange docteur déplace avec douceur ma civière, il la fait circuler à travers le couloir de l'urgence, j'entends des plaintes, des lamentations, des toux, des pleurs; je prends conscience que même si mon corps est pris dans un étau, ma conscience, au contraire, malgré les médicaments, est élargie, très vaste, dépassant de beaucoup mon enveloppe physique. Je ressens tout, je me sens happée par les vagues vibratoires de tristesse, de désespoir, de colère venant des civières qui s'échelonnent le long du corridor. Je me sens descendue en enfer, puis je pénètre dans un autre univers où je suis moins atteinte par les vibrations, car la lumière y est tamisée. Ici, je me sens protégée.

— Vous serez mieux ici, vous êtes dans le corridor menant à l'ancienne aile de psychiatrie. Cet espace n'est plus utilisé maintenant, vous y serez tranquille. Le neurologue viendra vous visiter et discutera avec vous de la ponction lombaire. Bon courage!

Pour toute réponse, je réussis à lever ma main en guise de remerciement. Cet ange vient de me sauver la vie, car dans l'état altéré de conscience où je me trouve, les vibrations de maladie émanant des autres me rendraient encore plus malade.

Je tente de bouger mon enveloppe physique. Cela me demande un effort, mes membres semblent peser une tonne et sont endoloris, comme si un camion m'avait écrasée.

J'abandonne la tentative de bouger, j'essaie de reprendre le contrôle de mes pensées, j'essaie de me concentrer, de me souvenir de ce qui s'est vraiment passé depuis hier. J'en suis incapable. Tout effort de concentration me ramène une douleur vive au crâne. J'abandonne aussi cette tentative de penser. Je suis forcée de me laisser aller à cette perception de conscience élargie. Je suis à la fois dans mon corps lorsque je fais un effort, puis hors de mon corps lorsque je me laisse aller.

Je contemple mon enveloppe physique, raide, endolorie, surmontée d'une boîte crânienne qui semble être plus épaisse que d'habitude. Les tissus de mon cerveau sont fragiles, tout aussi endoloris que les autres tissus de mon corps. Je sais que j'ai failli mourir, je sais que j'ai vécu une poussée de kundalini qui a failli m'emporter au royaume des cieux, je sais que je n'ai pas le virus de la méningite, je sais aussi que mon liquide céphalo-rachidien est beau malgré l'agitation qu'il a vécue hier par la montée de cette énergie dans mon canal. Je sais que je ne peux pas communiquer ceci à qui que ce soit dans cet hôpital, et que même si je ne ressens pas la nécessité d'une ponction lombaire, je dois m'y soumettre et les laisser faire leurs tests, les laisser croire à une méningite virale, les laisser faire leur travail et sortir d'ici au plus vite. Je sais aussi que quelqu'un se dirige vers le couloir où l'on a installé ma civière et que je suis mieux de réintégrer mon corps. Je sens maintenant une présence près de moi.

— Bonjour, je m'appelle Thérèse; je suis votre infir-mière pour la journée. Je vous cherche depuis quelques minutes; le docteur vous a bien cachée...

Elle rit, et je constate que l'on m'a envoyé un autre

180

ange. Les vibrations émanant de Thérèse sont très lumineuses, de couleur rose doré; elle est remplie d'amour. Je la laisse dorloter mon enveloppe physique, elle insiste pour que je fasse un effort pour lui parler. Sa présence me ramène encore plus dans mon corps, son énergie m'incite à redescendre sur le plan terrestre. Plus je réintègre mon corps physique, plus je constate que je suis une loque humaine. La force de la kundalini semble m'avoir brisée en mille morceaux en vingt-quatre heures. Des questions veulent monter, la douleur m'empêche de penser.

Je m'abandonne à Thérèse qui prend ma température et fait une prise de sang. Elle m'informe de mon état de fièvre tenace. Elle me prépare à la visite du neurologue, à ses questions et à la ponction lombaire à venir. Puis, m'ayant administré le médicament anti-douleur, elle me quitte, entraînant avec elle ses vibrations rose doré d'amour.

La drogue agit rapidement car la douleur aiguë du crâne semble vouloir se dissiper. Je peux maintenant me permettre de penser sans douleur. Je me demande ce que la codéine fait sur l'énergie de kundalini stimulée en moi. Ce cocktail est-il dangereux? N'étant plus hantée par la douleur, une réaction de survie semble vouloir s'installer en moi : mobiliser le peu d'énergie que j'ai pour sortir d'ici. Je choisis d'utiliser cet état de conscience élargie pour parler aux systèmes de mon corps, à ma fièvre. J'ai besoin de la collaboration de mon enveloppe physique pour sortir d'ici. La drogue administrée est forte, je me sens entraînée dans un état de somnolence.

Un bruit me fait sursauter. J'ouvre les yeux pour voir le visage de ma fille spirituelle, Sylvie, penché sur moi. Je lui souris, elle pleure doucement, elle a l'air aussi amochée que moi.

— J'ai eu peur de te perdre, Marie Lise, je croyais que cela y était...

J'ai envie de lui répondre que j'ai eu aussi peur de me perdre.

— Je me sentais tellement impuissante face à ton état. Je n'avais pas de thermomètre, je ne pouvais pas te quitter, je n'arrivais pas à décider de t'amener à l'urgence. Je ne savais pas quoi faire.

Sylvie pleure de plus belle. Je lui tends la main.

— Tu vois, on a passé à travers, je suis encore vivante.

Des images d'hier me reviennent à la mémoire de façon floue. Sylvie m'imposant les mains sur le crâne, me veillant pendant douze heures, me tenant sous la douche froide; Sylvie qui tournait en rond, impuissante, face à ma douleur et à l'état qui empirait.

— Veux-tu que je reste auprès de toi?

— Sylvie, tu en as assez fait, va te reposer, je te remercie de m'avoir accompagnée hier.

— Marie Lise, penses-tu toujours que c'est une montée de kundalini?

— Les médecins pensent que c'est peut-être le virus de la méningite. Ils cherchent... Moi, je sais que c'est la kundalini.

Les souvenirs deviennent de plus en plus précis, mon cerveau, sans la douleur, semble vouloir se remettre à fonctionner. Les images d'hier prennent forme. Les moments d'extase, les moments de douleur, le feu dans la colonne vertébrale, la brûlure au sacrum, la montée du feu, comme la lave d'un volcan, jusqu'au crâne, l'extase suivie de la douleur aiguë. Mon corps pris de spasmes, ma colonne vertébrale qui voulait onduler d'elle-même, le feu qui se promenait dans le corps, qui brûlait tout sur son passage, puis de nouveau l'extase suivie de la douleur. Le crâne qui veut s'ouvrir en deux, la crainte de mourir... la certitude de mourir.

— Sylvie, si tu savais...

Je ferme les yeux, je n'ai plus d'énergie. Contacter cette mémoire me fait me sentir comme si j'étais folle ou aliénée. Se peut-il que j'aie vécu tout cela? Se peut-il que j'aie survécu à tout cela? Se peut-il que je n'aie pas été consommée par ce feu et que je sois encore vivante?

— Je suis épuisée, j'ai besoin de dormir.

Elle m'embrasse et me quitte. Je la sens se culpabiliser, je ne comprends pas pourquoi. Le médicament de nouveau me pousse dans la somnolence.

— Bonjour, je suis le docteur Brault, neurologue. J'ai quelques questions à vous poser. Pouvez-vous me parler, madame Labonté?

Je fais un effort énorme pour sortir de l'état comateux et tenter de reprendre mes esprits. Le crâne commence encore une fois à être douloureux.

Pendant que je réponds bien sagement aux questions du neurologue, je constate qu'il ne sait rien sur mon état et qu'il cherche. Je me sens de plus en plus aliénée dans ce milieu. Mes réponses sont tissées de mensonges et de vérités. Je ne peux pas tout lui dire, je ne peux pas lui dire que les activités qui ont précédé les maux de tête ont été dix heures de transe échelonnées sur quatre jours. Que mon hypersensibilité à la lumière et au son est naturelle pour moi, étant donné que je

183

suis médium et que ceci n'a rien à voir avec la supposée méningite. Ce jeu du chat et de la souris m'épuise, je sens que je perds mon énergie, la douleur au crâne augmente, je voudrais fuir, je me sens dans une prison.

Le neurologue pousse à nouveau ma civière le long du couloir, m'installe dans une pièce et prépare la ponction lombaire. Je n'ai pas le choix : il faut que je m'y soumette. Je prie pour que l'aiguille remplisse sa fonction.

—Voyez comme votre liquide céphalo-rachidien est beau, il semble tout à fait limpide.

Je regarde le liquide incolore dans la petite fiole. Je ne peux que constater sa limpidité. Comme j'aimerais pouvoir questionner ce fluide sur ce qui s'est passé hier. Je contemple en silence la fiole qui disparaît pour les tests.

— Je viendrai vous revoir lorsque les résultats d'analyse du sang et de la ponction lombaire seront complétés. N'oubliez pas de ne pas bouger d'ici là, car cette intervention peut vous causer des maux de tête.

Je ne peux plus bouger... les heures passent, j'attends, je contemple les gouttes de mon soluté, je mobilise mes forces, j'attends les résultats. Malgré mes efforts pour mobiliser mon énergie et en sortir, je suis devant l'horreur de la situation : mon corps est dévasté, épuisé, brûlé intérieurement. Je me souviens de ma lecture de Gopi Krishna. Serait-ce que la kundalini n'a pas monté dans le bon canal? Cette force qui est supposément évolutive, comment peut-elle ainsi détruire, car je me sens complètement détruite, en mille morceaux, à la fois psychologiquement et physiquement. J'ai l'impression que la kundalini a tout enlevé de Marie Lise. Je ne sais plus qui je suis maintenant. Je me sens soudainement seule, abandonnée dans cet univers spirituel. Suis-je en train de devenir folle? Était-ce vraiment la kundalini? En même temps que ces questions surgissent, je me sens envahie d'une grande lucidité, qui déborde largement la situation. Cette forme de compréhension épure tout. Ne devais-je pas être au salon du Nouvel Âge à donner une conférence avec les Anges hier et aujourd'hui? Un autre salon manqué! Et Robert, où est Robert? Pourquoi n'est-il pas là à m'aider dans ce désert hospitalier hostile? Et l'amour? Qu'est-ce qu'est vraiment l'amour? Ne serait-ce pas d'être là? Je me sens si seule, pourquoi ai-je à vivre cette expérience mystique seule? Il y a quelque chose qui cloche... Et le Nouvel Âge? Quelles sont les valeurs véhiculées par ce Nouvel Âge? Où en sommes-nous? Vivons-nous l'essentiel? Peut-on promouvoir l'essentiel dans un salon du Nouvel Âge? Quelle illusion! Et tous ces gens qui souffrent autour de moi dans ce couloir de l'urgence? Je ne comprends plus rien, ou plutôt je comprends tout. Et si cette poussée dévastatrice de kundalini était pour me ramener à l'*essentiel?* Et si cette poussée de kundalini n'était pas une dévastation mais plutôt une purification conduisant à l'essentiel?

Un abîme s'est creusé entre Robert et moi, un abîme s'est créé à l'intérieur de moi. Couchée dans mon lit, je contemple les arbres et la vie qui les habite. Je me sens sans vie, j'ai l'impression que l'on vient de m'enlever la vie. Je me sens si faible, si petite, si écrasée par cet événement si subit et si violent. Je me sens comme un bateau qu'une tempête aurait arraché de son port, dont la coque est brisée, et qui flotte à la dérive. Je n'arrive pas à donner un sens à... Le chemin était pourtant clair avant cet incident : j'avais tout largué, j'avais choisi de me consacrer à la médiumnité, je me préparais à promouvoir les Anges, j'avais même engagé une entreprise pour m'aider à... Au moment même où je devais débuter ceci, je suis frappée de plein fouet par cette énergie, j'ai failli en perdre mon cerveau, je suis en convalescence pour au moins trois semaines, je suis faible et complètement perdue. Je ne comprends plus rien ou plutôt je commence à comprendre que je n'avais rien compris et c'est ce qui est profondément douloureux, plus douloureux encore que la douleur physique.

Je n'ai plus le goût à la vie. Je me retire, je n'ai rien à dire à ma mère qui est en train de me faire cuire des carottes, ni à Robert qui est à écouter la télévision. Je me laisse aller à cet état de mort; les trente-six heures passées seule à l'urgence m'ont achevée. J'ai l'impression de revenir d'un stage en enfer. J'ai mobilisé toutes mes forces, maintenant je peux me laisser aller à mourir.

Monique, mon ancienne associée, vient d'arriver. Je l'entends parler à ma mère, je ressens au loin sa douce force. Elle arrive près de moi, je me laisse recevoir ses vibrations d'amour et de compassion. Je la laisse contempler dans mon regard l'abîme qui m'habite. Elle semble comprendre, car elle respecte le silence. Pour toute parole, elle prend ma main. Le contact de son énergie vitale me fait prendre encore plus conscience de mon énergie de mort. Je pleure en silence, et elle pleure aussi. La scène est cocasse, je me mets à rire tout en pleurant, mon rire est hystérique, je l'entends. Je regarde de nouveau Monique : elle est le plein, je suis le vide. Une pensée me vient, la pensée que j'ai tout perdu. Je contemple cette pensée, je contemple mon vide intérieur.

Ma mère et Monique repartent après s'être occupées de me nourrir. Robert s'est rebranché sur son appareil à inconscience qu'est la télé, après s'être assuré que je ne manquais de rien. Pauvre Robert! il est épuisé par son salon du Nouvel Âge, il est rongé par des émotions de colère et de culpabilité face à ce qui m'arrive. Je n'ai pas la force d'analyser ce qui se passe pour lui, je suis témoin de nos abîmes respectifs.

Le vide en moi s'agrandit d'heure en heure, je me laisse aller, je n'ai plus la force de réagir au mouvement de dépression. Cette descente psychologique est-elle due à mon hypersensibilité aux médicaments? Est-ce la poussée de lumière et de la kundalini, cette énergie spirituelle qui entraîne ainsi une poussée de noirceur? Est-ce mon ego qui souffre de s'être ainsi fait écraser? Je ne peux pas répondre à ces questions. Je descends, et plus je descends, plus j'ai vraiment envie de m'enlever ce qui me reste de vie. Je sais qu'au plus profond de moi-même je n'accepte pas d'être ainsi détruite physiquement. Jamais je n'aurais cru être obligée de confronter de nouveau, dans ma vie, la faiblesse et la déchéance du corps physique. Mon ego est brisé et j'ai mal à l'âme. Je sais que j'ai commis une erreur, mais laquelle?

Il est 18 heures. Robert vient fureter dans la chambre. Je le regarde s'habiller, se parfumer, et je n'arrive pas à comprendre. Je n'arrive pas à comprendre que je ne puisse pas lui communiquer assez ma douleur pour qu'il reste auprès de moi. Je n'arrive pas à comprendre pourquoi il nie ce que je vis en répétant à qui veut l'entendre que mon état n'est pas grave, quand je sais que j'ai failli mourir. Je n'arrive pas à comprendre qu'il ait passé la journée devant la télévision tandis que j'étais occupée à mourir. Je n'arrive pas à comprendre que l'essentiel pour lui ne soit plus l'essentiel pour moi. Je n'arrive pas à comprendre que même la pensée de cette âme sœur ne me rattache pas à ce qui me reste de vie. J'ai envie qu'il parte, j'ai besoin d'être seule pour crier mon mal à l'âme, mon désir de ne plus poursuivre ma vie, et mourir. Un mur nous sépare. Nous sommes dans deux mondes différents, lui dans un monde d'illusions, et moi dans un monde de froides désillusions, de pure lucidité.

La porte de l'appartement se referme sur Robert. Je peux enfin me consacrer à ma mort. J'ai mal à la tête, je me sens assise sur un volcan qui peut entrer en éruption à tout moment. J'ai peur que l'énergie de kundalini se réveille de nouveau. Je refuse de prendre le médicament, je ne veux pas me «geler», je veux être lucide. Je ressens qu'un voile dans mon cerveau veut se déchirer, un voile qui obstrue ma vision interne depuis longtemps. Je prends ma tête à deux mains, j'ai peur de perdre conscience, j'ai peur de perdre ma conscience... Je prie, je crie, je hurle ma peur, ma douleur; les vibrations de ma voix m'aident, je m'entends crier et cela m'aide, cela aide mon cerveau. Le voile interne se déchire... tout m'apparaît si clairement, je vois tout, tout de ma vie, de ma naissance jusqu'à maintenant : les expériences mystiques de mon enfance, la crise d'adolescence, la recherche de la vérité dans la drogue, la période d'athéisme, l'évolution de la maladie, la découverte de mon pouvoir intérieur de guérison, la mission que je me donne d'aider les autres à se guérir, la valorisation que j'en tire, le sauveteur que je deviens, la séparation intérieure que cela entraîne face à mon âme, l'appel de mon âme, l'appel intérieur, le développement de la médiumnité et l'épuration que cela entraîne dans ma vie, ma résistance, les multiples batailles contre l'ego, ma douleur affective face aux hommes, la recherche sans fin du père, le besoin d'être prise en charge, la peur d'être vraiment autonome, la peur d'assumer totalement mon existence, mon incarnation, le refus de mon essence. La durée d'un moment, cette vision m'ouvre à la compréhension que tout est illusion, que toute ma vie fut une illusion, que toute ma vie a été la recherche d'une raison de vivre, d'une raison à la maladie, à la guérison, au rôle de victime, au rôle de sauveteur; je n'ai pas su reconnaître la grâce qui m'habitait, la profonde simplicité de l'appel de mon âme dans le processus d'autoguérison et dans le développement de la médiumnité. Il me fallait constamment me trouver une raison de vivre, et ceci était sans fin, tout se résumait à cette raison de vivre, depuis la douleur jusqu'à la grâce, de la noirceur à la lumière. Le voile continue de s'ouvrir et je comprends qu'il n'y a pas d'erreur, que même croire à l'erreur est une illusion... il n'y a que l'expérience. Mon âme est maintenant seule face à son incarnation, face à la Source, face aux Anges, face à ses guides. Ils sont tous présents à la contempler, à me contempler, sans jugement. L'amour qui émane d'eux est inconditionnel, je suis saisie par leur détachement amoureux. On me présente deux choix : je peux mettre fin à ma vie sur terre maintenant, si c'est ce que je veux, ou poursuivre avec cette nouvelle lucidité. C'est à moi de choisir. On m'informe aussi que j'ai encore à apprendre des choses sur terre, et que j'ai encore à transmettre; je peux toutefois quitter maintenant si je le désire. Leur amour est sans jugement, je suis totalement *libre, totalement libre.*

La vision se termine ainsi. L'énergie dans mon crâne circule mieux. La lucidité qui me frappe est tellement implacable que je me laisse aller au sol. Le dur contact du sol me rassure et me fait sentir que je suis encore vivante. Je m'enracine sur le tapis, en pleurant doucement. Je sens combien mon corps est faible, combien mon ego est mort, je comprends que je viens de mourir à l'instant. Cela ne m'importe plus, il n'y a plus rien qui m'importe, je suis dans le néant à exister ainsi et, pour la première fois de ma vie, j'accepte ce néant, j'accueille ce vide...

Il est 8 heures du matin, le ciel du lac Brome est gris, je regarde de mon lit la neige tomber. Le spectacle qui s'offre à mes yeux est féerique : le lac est gris acier, les vieilles montagnes Appalaches sont recouvertes de neige, elles me sourient de leur sagesse. Je pleure en silence la beauté émouvante du paysage. Je ressens toujours ce vide en moi, et je l'accueille.

Deux mois ont passé depuis cette montée violente de kundalini, deux mois ont passé depuis ma mort. La vie en moi s'est complètement transformée. Je ne suis plus la même et je sais que je ne serai jamais plus la même. Le vide aussi s'est fait autour de moi, je suis incapable de répondre aux nombreux appels des gens concernés par mon état de santé, je n'ai rien à leur dire, je n'arrive pas à mettre de mots sur mon expérience. Il en est ainsi. L'état qui m'habite est silencieux, désertique. Je l'observe, je ne juge pas. La vie autour de moi semble avoir un sens, lorsque je contemple ces montagnes, lorsque je contemple Robert, lorsque je contemple la beauté du processus de médiumnité qui m'habite, lorsque je contemple les gens qui viennent en grand nombre rencontrer les Anges et échanger avec eux, lorsque je contemple toute la vie qui m'entoure. Elle semble avoir un sens, elle semble avoir une perfection juste; tout est si fluide! Mais je ne ressens pas de sens à cette existence, je ressens un vide plein de son vide, un néant doux à mon âme, un néant rempli de l'essentiel... Ce qui me rendait auparavant heureuse ne me rend plus vraiment heureuse; ce qui m'attristait ne m'attriste plus vraiment. Je me sens silencieuse, détachée, à contempler le moment présent sans le juger, à contempler les humains et leurs attachements sans les juger. Mon bateau est toujours à la dérive sur l'océan de la vie. Je ne me reconnais plus. Avec sagesse, j'accepte de ne plus me reconnaître. Je pleure maintenant la grandeur du paysage désertique qui m'habite.

Je pense à Gopi Krishna, qui dit dans son livre au sujet de la kundalini que lorsque cette énergie s'éveille, elle peut tout balayer sur son passage, et ainsi entraîner un renouveau total de l'être, balayant jusqu'à la mémoire cellulaire pour ne pas parler de toutes les structures mentales, émotives, karmiques... Est-ce cela que je vis? Je ne le sais pas. Mon système nerveux est encore à se remettre du choc de cet événement, je ressens que les états spontanés de méditation qui m'habitent remplissent leur rôle d'apport de nourriture énergétique à mon système nerveux central. Je ne peux plus méditer aussi longtemps, car mon cerveau ne peut pas l'endurer. Je suis poussée à la contemplation simple, à la prière dynamique et à simplement exister.

La voix de Robert me sort de mes réflexions matinales.

—Est-ce qu'on termine le film *Ghost* en prenant notre petit déjeuner?

Cela fait deux fois que je vois ce film et, pour de

multiples raisons, je n'ai jamais réussi à en voir la fin.

— D'accord, lui dis-je, en essuyant mes larmes.

Je regarde cette âme si sœur me préparer le petit déjeuner. Nous sommes des compagnons sur les routes respectives d'évolution de nos âmes. Je sais que Robert ne comprend pas vraiment ce qui se passe en moi, je n'arrive pas à le lui expliquer, car il ne l'a pas vécu. Je ressens toutefois une acceptation totale de qui je suis. Il accueille mon silence, mon regard, ma transformation. Je ne peux que lui dire merci d'exister, merci de sa générosité d'être.

Robert met le film. La scène qui se joue devant moi est plutôt violente, mon morceau de pain rôti passe difficilement dans mon œsophage, je veux lui dire d'arrêter le film, j'ai soudainement mal au cœur. Une voix à l'intérieur de moi se fait entendre:

— Sois patiente.

Je suis étonnée, car depuis l'événement de la kundalini, mes voix se sont tues.

— Veux-tu que j'arrête le film?

Robert me questionne, voyant mon malaise.

— Non, non, au contraire, finissons-le.

Je fixe l'écran de télévision, je vois le héros fantôme du film qui, ayant réussi à sauver sa femme terrestre des mains de son ami escroc, se prépare à lui faire ses adieux. Au moment où il la contemple, où il la touche de sa main invisible, une présence de lumière descend des plans célestes et semble le solliciter. Je suis frappée par cette scène, je reconnais tellement cette vibration, je suis en plein pays de connaissance.

Je m'associe totalement à l'écran, j'ai l'impression d'y

être, d'être à la place de Patrick Swayze, l'acteur. Je connais cette expérience, je connais cette vibration d'amour... c'est elle qui me reçoit lorsque je pars en transe profonde, c'est dans cette vibration d'amour que je me fonds et comme l'acteur sur l'écran, je m'élève.

Je pleure abondamment, je pleure de voir enfin représenté à l'écran le processus du passage. J'ai l'impression qu'enfin des humains reconnaissent que cela existe, que cela est vrai, que cet amour existe, que ce niveau d'amour existe bel et bien. C'est exactement ainsi, exactement ainsi....

Robert me prend dans ses bras, surpris de mes larmes; je ne peux que lui balbutier.

— C'est ainsi, c'est exactement ainsi.

La scène sur l'écran semble pour moi être sans fin; quel amour! quelle lumière! quelle grâce! comme j'aimerais m'y fondre moi aussi à jamais, comme j'aimerais retourner à la Maison du Père.

Je pleure d'être sur terre et non là bas. Je pleure de reconnaître que c'est sur terre que j'ai choisi d'être, mais c'est dur. C'est difficile à accepter lorsque je suis en présence de tant d'amour et de félicité... Pourtant, c'est ce que j'ai choisi, j'ai choisi de rester et de poursuivre ma vie avec une nouvelle lucidité... ma vie du moment présent. Cette prise de conscience m'amène à pleurer encore plus. Les bras de Robert me réconfortent, sa chaleur me rassure... puis j'entends monter, des profondeurs, la voix:

«Et si ta raison d'exister était simplement l'Amour...?»

BIBLIOGRAPHIE

BENTOV, Itzhak, *Stalking the Wild Pendulum,* E.P. Dutton,
New York,1977
CAMPBELL, Joseph, *The Power of Myth,* Anchor Books,
New York, 1988
DROUOT, Patrick, *Guérison spirituelle et immortalité,* Éditions
du Rocher, Monaco, 1992
KLIMO, Jon, *Channeling,* St. Martin's Press, Los Angeles, 1987
KRISHNA, Gopi, *Kundalini,* Shambala, London, 1985
LAZARIS, *Lazaris Interviews Book 1,* Synergy Publishing,
Beverly Hills, 1988
LEONARD SCHIERSE, Linda, *La Fille de son père,* Le Jour éditeur,
Québec, 1990
LEONARD SCHIERSE, Linda, *On the Way to the Wedding,*
Shambala, London, 1986
MUKTANANDA, Swami, *Play of Consciousness,* Syda
Foundation, New York, 1978
RING, Kenneth, *En route vers Omega,* Robert Laffont, Paris, 1991
WOODMAN, Marion, *La Vierge enceinte,* La Pleine Lune ed.,
Québec, 1992
YOUNG, Alan, *La Guérison spirituelle,* Québec/Amérique ed.,
Montréal, 1990

Originaire du Québec, Marie Lise Labonté, psychothérapeute et médium, est fondatrice de l'Approche Globale du Corps^{md} (antigymnastique & imagerie mentale), et auteure de *S'autoguérir, c'est possible* (Québec/Amérique, 1986) et de *L'Antigymnastique, une nouvelle approche du corps* (Québec/Amérique, 1990). En tant que médium, elle sert de canal d'expression aux Anges Xedah dont les entretiens sont publiés en deux tomes chez Louise Courteau éditrice (1992,1993).

LA COLLECTION AGNI

Inspirée de la déité hindoue qui représente le feu de la kundalini éveillée, cette collection réunit des ouvrages qui témoignent de l'expérience d'un éveil de la kundalini et de l'évolution spirituelle qui s'ensuit.